Le sentiment d'abandon

Se libérer du passé
pour exister par soi-même

Groupe Eyrolles
61, bd Saint-Germain
75240 Paris Cedex 05

www.editions-eyrolles.com

Ce titre a fait l'objet d'un relookage (nouvelle couverture)
à l'occasion de son neuvième tirage.
Le texte reste inchangé par rapport au tirage précédent.

Avec la collaboration d'Ève Sorin

Saverio Tomasella

Le sentiment d'abandon

Se libérer du passé
pour exister par soi-même

Neuvième tirage 2018

EYROLLES

À mes enfants

À la mémoire de Christilla Taudière, qui a encouragé
ma passion pour la liberté

Remerciements

Je remercie Jean Bergès, auprès de qui j'ai découvert la force de la parole directe, la relation franche avec l'enfant, la curiosité qui sous-tend l'intérêt porté à la personne de l'autre, même tout petit, l'oubli de toute forme de méthode, le goût pour la recherche de l'inconscient, l'acceptation de ne rien savoir à l'avance, de s'étonner et d'être dépassé…

Je remercie Karin Trystram ; certaines notions présentées dans ce livre sont le fruit d'une réflexion commune de plusieurs années.

Je remercie les patientes et les patients qui ont accepté d'illustrer mes propos par leurs témoignages.

« *Je rêve d'un vrai praticien à qui je puisse confier toutes mes angoisses ;
il me semble qu'il devrait avoir la patience d'écouter. Quel bienfait ce
serait de trouver un praticien qui ne me classe pas dès mes premières
paroles dans telle catégorie, qui ait assez de patience, de temps et
d'amitié pour reconnaître dans mes indications les troubles de
ma vie, si profondément en accord, lorsque je souffre, avec
le vécu de toute une existence : surmonter ce qu'elle a
de douloureux, le dépasser et apprendre ainsi,
lentement, le choix inconscient.* »

Rainer Maria Rilke,
Lettre à Lou Andreas-Salomé, 12 mai 1904

Table des matières

Deuxième partie
Les origines infantiles du sentiment d'abandon

© Groupe Eyrolles

TROISIÈME PARTIE

Se libérer du passé pour exister par soi-même

Préface

Ma pratique de psychanalyste m'a régulièrement, pour ne pas dire constamment, mise en contact avec l'abandon vécu ou craint par toutes les personnes que j'ai accompagnées, au fil des années, dans leurs doutes, leurs souffrances ou leur mal-être.

De mon expérience clinique en ce domaine m'apparaissent trois principales observations. En premier lieu, tout patient porte fréquemment en lui une souffrance d'abandon, même si elle revêt des qualifications diverses : sentiment, état ou angoisse d'abandon.

Par ailleurs, toutes sortes de réalités différentes peuvent être productrices du sentiment d'abandon. Cependant, elles se relient très souvent à un vécu d'enfance dont les effets perdurent bien au-delà dans la vie adulte.

Enfin, force est de constater la singularité de chaque histoire, de chaque vécu, de chaque souffrance et, pourtant, la présence d'un fonds commun à tous, l'abandon, dont on peut se demander s'il ne relèverait pas d'une peur universelle de l'être humain.

Ainsi, aborder le sentiment d'abandon nous interpelle par sa double caractéristique singulière et plurielle, unique et commune. S'y pencher nous offre l'occasion de prêter écoute tout autant à ce fond commun de l'humanité qu'à notre être profond, d'aller à leur rencontre et – pourquoi pas – de mieux faire connaissance avec soi.

Avec cet ouvrage, Saverio Tomasella ouvre cette voie au lecteur en lui donnant à partager son approche subtile et éclairée du sentiment d'abandon, nourrie par sa riche expérience humaine et psychanalytique. Je vous en souhaite une lecture éclairante et féconde.

Véronique Berger
Psychanalyste

Une réalité universelle, des tourments singuliers

« Quant à des conseils, seule en donne la solitude. »

Mallarmé

La question de l'abandon est vaste comme le monde.

Elle est très largement présente dans la littérature, le théâtre, l'opéra, le cinéma. Certaines images poétiques y font référence : une maison en ruine, un champ dévasté, une épave sur le rivage ; on dira qu'ils sont « à l'abandon »…

Nous entendons également parler d'abandon au niveau des groupes et des nations, jusqu'à lire que les États, démissionnaires ou impuissants, sont, eux aussi, « à l'abandon ». Déplacement, métaphore sans doute… Ainsi, l'historienne et psychanalyste Élisabeth Roudinesco s'inquiète de nos sociétés qui *abandonnent* les principes humanistes, jusqu'au respect de la loi et d'autrui, poussant sans cesse à plus d'hédonisme, « au risque de réduire l'humain à la satisfaction de ses besoins immédiats[1] ». De son côté, la philosophe Michela Marzano, chercheuse au CERSES[2], s'appuie sur le « sentiment d'abandon » du peuple italien pour expliquer les dérives politiques de son pays, hier et aujourd'hui[3]. Enfin, l'économiste Jacques Attali dénonce la barbarie aveugle et l'égoïsme extrême d'un certain capitalisme sans foi ni loi…

Au niveau individuel, chaque être humain a vécu, au moins une fois dans sa vie, la crainte ou la réalité d'un abandon. Chacun, de près ou de loin, est concerné par le sentiment d'abandon. Le fait même d'utiliser la formule « sentiment d'abandon » montre à quel point ce vécu est profond et implique le centre de l'être, ce qui est essentiel et vital. Même lorsqu'il ne dit pas son nom, l'abandon (sa peur ou sa mémoire) est sous-jacent à de très nombreuses situations.

Le film *Jeux interdits*[4] retrace l'abandon redoublé d'une toute petite fille, Paulette, dont les parents meurent lors du bombardement d'une colonne de fugitifs durant la guerre. Réfugiée dans une famille qui l'accueille un temps, elle se lie d'amitié avec Michel, un garçon plus grand qu'elle, avec lequel elle partage des jeux qui lui permettent de symboliser et de penser la mort. De nouveau brutalement arrachée à son ami, elle est placée dans une institution pour orphelins : à la toute fin du film, ses appels désespérés pour retrouver Michel illustrent de façon saisissante la douleur de l'abandon…

---

1. *Le Monde des religions*, n° 36, juillet 2009, p. 45.
2. Centre de recherche « Sens, éthique et société », université Paris-Descartes.
3. Michela Marzano, *Le Fascisme, un encombrant retour ?*, Larousse, 2009.
4. René Clément, 1952.

Exclusion, humiliation, maltraitance, rejet, trahison : l'abandon existe sous de multiples formes. Vertiges, perte du goût de vivre, honte, effondrement des repères : l'abandon provoque des ressentis très variés, tous douloureux, et qu'il s'agira d'exprimer pour éviter qu'ils ne s'enkystent.

Un jour, Amalia, une dame déjà âgée, vient se confier après avoir longuement hésité. Je reçois une femme désespérée, inconsolable. Notre première rencontre est riche de souvenirs et d'émotions ; l'air vibre de gravité. Quelques jours plus tard, ne voulant pas attendre notre prochain rendez-vous, Amalia m'écrit pour exprimer ce qu'elle n'a pas réussi à dire.

« Pourquoi une émotion si forte ? Devant vous, je me trouve dans une situation nouvelle. Vous m'écoutez, vous me croyez ; cela peut paraître naturel, logique : pas pour moi, par manque d'habitude. Longtemps après le viol, j'ai voulu raconter à ma grand-mère ce qui m'avait été fait. Je voulais que l'on m'explique pourquoi je sentais que c'était mal, mais en guise de réconfort j'ai reçu une trempe violente, à laquelle ont succédé les mots. Ces mots ! Il ne fallait rien dire à personne, j'étais la coupable, j'étais la honte, elle était persuadée que j'allais parler autour de moi... aux voisins. Aux voisins ! Cet acte déjà si perturbant était devenu encore plus atroce. J'apportais la honte sur la famille. Les mots étaient si durs, si violents, si répétitifs que je leur préférais encore les coups. Je les souhaitais pour que ma grand-mère se taise. Sa réaction a été si violente que j'étais persuadée qu'elle avait raison : j'étais le monstre. La question qui me hantait : si elle ne voulait plus garder un monstre, qu'allais-je devenir ? Retourner à l'hôpital, au poulailler ? »

Durant la Seconde Guerre mondiale, la petite Amalia, abandonnée par père et mère, avait été placée à l'Assistance publique dans un centre « hospitalier » pour enfants orphelins, loin de Paris, dans la campagne normande. D'abord « oubliée » plusieurs jours dans une cave après un bombardement, elle avait été violée par un « éducateur », lequel avait entraîné un jeune apprenti infirmier dans son acte profanateur. Ne parlant plus, hébétée, exprimant sa détresse par un refus de communiquer, Amalia avait été punie et mise en quarantaine, reléguée seule dans un poulailler pour le reste de son séjour à l'Assistance publique !

Pendant plus de soixante ans, malgré sa douleur, Amalia a travaillé sans relâche et fait face au quotidien avec toute la ténacité dont elle était capable, sans montrer aucun signe de désolation. Amalia est loin d'être la seule à s'être tue, à avoir gardé pour elle toute sa peine. Que de chagrins retenus, étouffés ! Rester seul avec son malheur, ne pas pouvoir se confier, n'est-ce pas déjà une forme d'abandon ?

Il est bien difficile d'oser dire les abandons réels dont nous avons souffert. Par pudeur, bien sûr : il est tellement important de préserver son intimité et de ne pas la dévoiler à n'importe qui. Parler de ses fragilités implique d'accepter pour un temps sa vulnérabilité sans la fuir, d'en parler ouvertement à une personne de confiance, qui accueillera ces failles sans s'en moquer, sans s'en servir pour prendre le pouvoir. Parler réhabilite l'être dans toutes les dimensions de son humanité.

Dans la recherche au long cours d'une psychanalyse, le clinicien trouve une problématique d'abandon sous-jacente aux autres, plus visibles, dans la plupart des histoires[1], pour peu que les hontes puissent se révéler et les idéalisations qui les masquent s'estomper.

S'il est tellement dévastateur, pourquoi l'abandon est-il si fréquent ? Pour quelles raisons celles et ceux qui l'ont enduré, ou en ont peur, le font-ils encore subir à d'autres ? La chaîne de la maltraitance se répercute inlassablement, en cascade, de génération en génération, jusqu'à ce que quelqu'un se réveille et décide d'y mettre un terme. Ce phénomène caractérise l'abandon : les personnes abandonnées s'abandonnent elles-mêmes ou abandonnent les autres, dans un cycle qui peut paraître sans fin. Notre responsabilité est de comprendre ce mécanisme d'apparente fatalité pour rompre la spirale de la répétition.

L'abandon le plus radical est la mort – surtout lorsqu'il s'agit de mort « psychique ». Elle est incommensurable pour l'enfant. Elle génère une douleur immense pour le parent, l'ami, le proche. Lytta Basset hurle face à la montée de la « marée de l'épouvante » lorsqu'elle apprend la mort de son fils Samuel, qui s'est suicidé à vingt-quatre ans.

---

1. D'après une collègue d'Amiens, « la fréquence des patients atteints de maladie du deuil en psychiatrie publique est très élevée. J'ai réalisé un petit récapitulatif pour m'apercevoir que cela concerne 60 % des patients que j'ai reçus ». Voir Marie-France Prudhomme, « De l'inconsolé à l'inconsolable », *Le renouveau de la psychanalyse avec Nicolas Abraham et Maria Torok*, communication scientifique, Nice, 16 mai 2009.

« C'est arrivé : Samuel... Non, non, non ! La foudre est tombée... Seule au volant – soixante kilomètres en état second – elle hurle sans discontinuer, bête blessée à mort. La vie s'est arrêtée. Elle ne voit rien, n'entend rien, n'est plus que cri. Cracher, vomir, expulser l'horreur[1]... »

Avez-vous pu *hurler* la mort, le désespoir, l'horreur, la terreur, l'épouvante, l'abandon ?

Comment ?

Essayons de repérer les très nombreuses manifestations du sentiment d'abandon, des plus évidentes aux plus camouflées. Nous chercherons ensuite les origines de ces troubles dans la réalité vécue d'un abandon, sous une forme ou une autre, à un moment clé de l'existence. Enfin, nous explorerons les moyens réels de se libérer, durablement, de l'abandon, pour conquérir une capacité à vivre vraiment : en être humain debout et fier d'exister.

---

1. Lytta Basset, *Ce lien qui ne meurt jamais*, Albin Michel, 2007.

PREMIÈRE PARTIE

Les manifestations du sentiment d'abandon

« This above all : to thine own self be true,
And it must follow, as the night the day,
Thou canst not then be false to any man[1]. »

Shakespeare, *Hamlet*, acte I, scène 3

---

1. « Avant tout, sois vrai envers toi-même ; et, aussi infailliblement que la nuit suit le jour, tu ne pourras être faux envers personne » (traduction de François-Victor Hugo).

Il arrive de se sentir abandonné lors de moments difficiles, de situations critiques, telles que la solitude, l'exclusion, le conflit, le deuil… ou simplement de situations déroutantes, inattendues, que l'on soit seul ou bien entouré. Que se passe-t-il alors ? Le « sentiment d'abandon », qu'il est coutumier d'évoquer, désigne un ressenti d'impuissance, plus ou moins douloureux et handicapant. Il se caractérise par une sensation d'isolement qui paraît insurmontable, vécu comme une injustice ou une trahison. Il s'agit d'un désarroi, pouvant être durable et profond, souvent accompagné de fortes angoisses, de colères irrépressibles ou de tristesses inconsolables, ainsi que d'une impression persistante d'injustice et d'insécurité.

Sandrine confie : « Il m'arrive d'avoir la sensation d'être soudain perdue, toute seule. Cette peur d'être abandonnée, je la ressens fréquemment en ce moment. Je me sens fragile. Je suis incapable de rester seule. Je sais bien que l'abandon n'est pas chaque fois une réalité, mais plutôt une peur au fond de moi. Pourtant, je ne peux m'empêcher d'avoir peur. Un retard, un rendez-vous annulé, mes clés que je ne retrouve plus, tout cela déclenche en moi une panique, avec cette idée étrange que je ne pourrai rien faire tant que quelqu'un ne sera pas là, avec moi, près de moi… »

Le sentiment d'abandon est l'expression d'une souffrance dans la relation à soi-même et aux autres. Il se manifeste de différentes façons : certains ont constamment peur d'être rejetés et, prisonniers de leur peur, en arrivent à provoquer l'abandon tant redouté ; d'autres « s'accrochent » à quelqu'un ou à quelque chose ; d'autres encore, au contraire, évitent de s'engager et de se lier vraiment…

1

Quand la solitude est source d'angoisse

Il est parfois difficile d'être seul, surtout quand se profile la menace de l'abandon. Que celle-ci soit imaginaire ou réelle, elle provoque déceptions, colères et surtout angoisses, des plus masquées aux plus visibles, des plus larvées aux plus explosives. Nous allons tenter d'en explorer les méandres…

William ne supporte pas d'être seul

Un soir, le téléphone sonne. À l'autre bout du fil, une voix faible, timide, presque éteinte, demande un rendez-vous. « Je me sens seul », explique cet homme, pourtant marié et père d'un enfant. Lorsqu'il vient, William me dit très vite qu'il est tout le temps angoissé.

« Je suis tellement angoissé que je n'arrive pas à lire... Rien, même pas une BD. C'est la première fois que cela m'arrive. J'ai même du mal à vivre. Je fais tout vite, le plus vite possible. Je me précipite et je bâcle tout. *(William marque un long silence, en regardant la pièce autour de lui, puis ses chaussures. Il semble gêné.)* Je m'ennuie et je déprime tous les soirs. *(William me regarde un moment, en silence.)* J'ai recommencé à avoir de l'asthme en même temps qu'une bronchite, et l'asthme, ça angoisse, je vous assure... »

Je demande à William, pour qui souffrance et angoisse semblent résulter d'une grande solitude, s'il peut alors compter sur une présence amicale.

« J'ai appelé mon copain Pierre. Il était à la clinique pour une opération des ligaments du genou. Le pauvre. Je l'aime bien. J'ai senti, une fois de plus, qu'il me fuyait malgré ce qu'il m'avait dit dernièrement. Je voudrais savoir pourquoi. C'est très blessant pour moi. Peut-être a-t-il de bonnes raisons. Il me dit qu'il m'apprécie mais on n'arrive jamais à se voir. Ce qui m'inquiète, c'est que je suis toujours seul. Ma femme travaille beaucoup. Qu'est-ce qui m'arrive ? En fait, je ne sais pas quoi modifier dans ma façon d'agir avec les autres.

— *Vous avez rappelé votre ami Pierre ?*

— Je lui ai téléphoné pour lui dire que cela me ferait très plaisir de le voir depuis tout ce temps et il m'a répondu qu'on se rappellerait à la fin de la semaine. On est déjà à la fin de la semaine et il ne m'a toujours pas rappelé !

— *Vous vous sentez abandonné ?*

— Oui... Oui, complètement. *(William pleure doucement en regardant par terre.)* J'aimerais me sentir plus heureux, plus léger, plus serein. J'ai peur de ne pas y arriver... »

Dès notre première rencontre, William se dit las, angoissé, déprimé. Il se définit lui-même comme un homme craintif et très sensible. Il a peur de mourir, de vieillir, d'être seul… Ses crises d'asthme sont une réponse physique à son angoisse mêlée de chagrin. Au propre comme au figuré, William suffoque. Très vite, il en vient à faire le constat de sa solitude, sans doute à l'origine de cette asphyxie.

William est en proie à un questionnement incessant, un tourment continu et oppressant. Il doute de lui et des autres, notamment de Pierre, qu'il considère pourtant comme son ami. William se plaint du manque de présence de Pierre, jusqu'à se sentir abandonné. Pourtant, l'abandon de William par son ami n'est pas réel, il est de l'ordre du ressenti : William se persuade de la « fuite » de Pierre et la ressasse.

William est le papa d'un petit garçon. Je l'interroge sur sa façon de vivre l'arrivée de son enfant et sa nouvelle paternité. William se rappelle qu'avant la naissance de son fils, il fumait, buvait et mangeait beaucoup pour « se remplir ». Il raconte sa tristesse, sa difficulté à réaliser ce qu'on lui demandait de faire – au bureau, en particulier, où il peinait à « donner le change ». Il poursuit en évoquant sa femme :

« Déjà, je ne voulais plus être en contact avec elle. Elle ne pensait qu'à une chose : procréer avant l'âge limite. Elle est plus âgée que moi. J'ai l'impression que ma semence est la seule chose qui l'intéresse. Le matin, le soir, le week-end, elle me posait sans arrêt la même question : est-ce que je voulais bien avoir un enfant ? Cette question m'étouffait, surtout venant d'elle que je n'aime pas et qui me déteste ouvertement. Je ne savais plus où j'en étais. »

J'essaie de mieux comprendre l'étrange rapport que William et son épouse ont mis en place.

« Nous avions une mauvaise vie. Nous nous disputions sans cesse. Je disais à ma femme que je ne pensais pas qu'avoir un enfant dans ces conditions était une bonne idée. Elle n'entendait pas ; elle revenait tout le temps à la charge. Je suis faible et je le sais : j'ai cédé à son chantage. Enceinte une première fois, elle semblait contentée. De mon côté, j'étais très angoissé. Je me sentais pris au piège de ma lâcheté. Au quatrième mois, elle a fait une fausse couche. Une course aux traitements médicaux a été mise en place pour avoir un nouvel enfant. Je me sentais exclu de cette procréation médicalisée. Depuis, l'acte sexuel m'apparaît comme un accessoire, au même titre que les traitements médicaux. Une autre grossesse est arrivée ; très médicalisée, chaque jour suivie comme une maladie grave. Je me sentais de nouveau démuni, abandonné. Encore une fois, je ne représente qu'une partie du décor. Depuis, je suis très déprimé et je n'arrive pas à retrouver le goût de vivre. »

Lorsque je demande à William si la relation avec son épouse s'est améliorée depuis la naissance de leur enfant, il me dit que non, au contraire. Pourquoi n'ont-ils pas songé à se séparer s'ils ne s'entendent pas du tout ? Ce désamour n'est-il pas le signe d'un abandon réciproque des époux ?

William est gêné de me répondre. « Je me sens trop seul, je suis incapable de quitter ma femme ou même d'accepter l'idée d'une séparation. » William est perdu : son incapacité à supporter la solitude l'empêche d'être libre et de vivre selon ses vœux...

Véronique craint d'être oubliée

Véronique est une femme agitée. Elle ne tient pas en place. Avant les premières séances, elle m'appelait pour être sûre que je n'avais pas oublié son rendez-vous. Véronique arrive chaque fois très en avance. Une fois assise, elle bouge sans arrêt sur sa chaise. Ses doigts jouent du piano sur ses cuisses pendant qu'elle me parle.

« Je dors mal la nuit. Cela fait des années que j'ai des insomnies. Je fais des cauchemars. J'imagine des accidents impossibles.

— Par exemple ?

— Ma voiture est garée, je mets des grosses pierres devant les pneus, au cas où le frein lâcherait...

— De quoi avez-vous peur ?

— J'ai peur de me perdre dans un centre commercial ou de perdre mon portefeuille, mes papiers, mes clefs. »

Véronique, racontant sa peur de se perdre dans un lieu pourtant familier, de ne plus retrouver portefeuille et papiers – son identité –, exprime sa crainte de s'effacer, de ne plus exister, de disparaître.

« Il y a quelques jours, j'étais allée faire des courses dans une grande surface que je connais bien. Je n'y étais pas allée depuis quelque temps, ce n'est pas la plus proche de chez moi. Toute la disposition du magasin avait été changée : j'étais complètement perdue. Je me suis sentie toute petite, incapable de me repérer, j'étais presque paniquée. J'ai eu l'impression de me noyer. J'étais tellement confuse. J'ai dû reprendre mon souffle. Je n'ai pas pu rester, je suis sortie en vitesse.

— Cela vous arrive à d'autres moments ?

— Oui, quand je vais dans ma belle-famille. J'ai l'impression de n'intéresser personne. Au bout d'un moment, j'ai peur de disparaître, de ne plus pouvoir exister. »

Dans ces circonstances, à mesure que l'angoisse monte, Véronique semble « s'oublier » au point de douter de sa propre existence : elle oublie ce qui est important pour elle, ce qu'elle pense et ressent. Seule demeure sa *peur d'être oubliée.*

« J'ai peur que mon mari m'oublie, si je lui ai donné un rendez-vous et qu'il est en retard. Cela me fait ça aussi avec un collègue en retard ou chez le médecin si j'attends longtemps.

— Vous avez l'impression d'être abandonnée ?

— Oh, c'est beaucoup dire... Oui, au fond de moi, si je suis sincère, je peux dire que je me sens abandonnée. Pourtant, le plus souvent, je sais bien que je ne vais pas être abandonnée vraiment. C'est plus une peur.

— Vous vous sentez seule ?

— Non, presque jamais. Je me débrouille pour être tout le temps avec quelqu'un. Pourtant, je me sens très seule avec moi-même. Comment vous dire ? Je suis seule avec mes peurs et mes idées noires. Je n'ose en parler à personne. J'ai honte. Je ne voudrais pas qu'on se moque de moi. »

Véronique a fait en sorte de masquer ses angoisses derrière une façade de battante et de les ensevelir sous une grande activité. « J'ai toujours quelque chose à faire, me dit-elle, je ne supporte pas d'être inoccupée. » Par sa panique à l'idée de perdre ses papiers ou de se perdre elle-même dans un lieu familier soudain devenu étranger, elle exprime sa crainte d'être oubliée de ses proches, ou de s'oublier elle-même, ce qui lui fait éprouver une sensation de dilution de son identité. Par pudeur et du fait de sa honte face aux autres, Véronique mettra beaucoup de temps à reconnaître une crainte de l'abandon pourtant très présente en elle.

Gérard a peur d'être rejeté

Au début, Gérard ne savait « pas trop pourquoi » il venait parler à un psychanalyste : tout semblait aller « plutôt bien » pour lui. Gérard est un artiste, particulièrement sociable et très élégant. Derrière son charme naturel, sa facilité à communiquer et sa désinvolture se cache en réalité une grande peur de la solitude, d'autant plus vive que le soir arrive. « Heureusement, me précise-t-il un jour, comme je suis comédien, je joue le soir ; sinon, ce serait très difficile de rester tout seul chez moi, le soir venu. »

Gérard a beaucoup d'humour, il n'est pas du tout susceptible. Néanmoins, il a un fonctionnement très affectif. Il a facilement l'impression d'être rejeté : par exemple, dès que quelqu'un lui fait une critique, il se sent mal et craint de ne plus être aimé. Ce trait de caractère est particulièrement évident avec ses collègues et ses amis. Gérard m'explique longuement comment il lui arrive de se sentir rejeté dans son travail, notamment lorsqu'un metteur en scène n'apprécie pas complètement ce qu'il fait.

« Hier, j'étais avec des collègues. Nous avons discuté de mon dernier spectacle. J'ai un rôle nouveau pour moi : pour une fois, je ne suis plus un jeune premier, mais une crapule, un type plutôt noir et, à vrai dire, détestable ! Je suis content de pouvoir enfin jouer à contre-emploi. Je me suis donné beaucoup de mal pour fouiller tous les ressorts psychologiques du personnage. Hier, Joyce, que j'apprécie énormément, a critiqué ma composition en me faisant des remarques pourtant très fines et très pertinentes. Une part de moi me disait qu'elle avait raison et que j'aurais intérêt à suivre ses conseils, mais l'autre était atterrée. Je me sentais gêné, mal à l'aise, tout penaud et contrit. J'avais l'impression de ne plus être aimable. C'était vraiment un moment très dur. Sur le coup, je n'ai pas réussi à rester souriant. Je me suis renfrogné. Joyce m'a reproché de bouder, ce qui a encore plus accentué mon désarroi. Une fois seul, il m'a fallu plusieurs heures pour me ressaisir et revenir à des sentiments plus calmes et plus positifs. Bien sûr, j'ai téléphoné à Joyce pour m'excuser et lui dire combien j'appréciais sa franchise et la subtilité de son regard sur mon travail. Il n'empêche que j'ai été complètement bouleversé par ses paroles pourtant sans méchanceté à mon égard. Je suis vraiment spécial, je crois ! »

Même si Gérard a suffisamment de souplesse et d'intelligence pour se resituer après ce moment de découragement, après s'être senti « dévasté par une peur intense d'être rejeté », il souffre de sa très grande sensibilité affective. Cette manifestation est d'autant plus forte avec son compagnon Olivier.

« Cela fait plusieurs mois que je vis une relation amoureuse passionnée. Depuis peu, je me sens tout bizarre. Mon copain vient me voir un peu moins souvent. Il me dit de ne pas m'inquiéter, qu'il a juste besoin de se retrouver seul. Je le comprends très bien, je respecte son choix, en plus je sais très bien qu'Olivier est fidèle, mais en même temps je panique. J'ai peur qu'il me laisse tomber. C'est plus fort que moi, chaque fois qu'il m'annonce qu'il ne viendra pas, une angoisse s'empare de moi : s'il ne revenait pas ? C'est une peur complètement irrationnelle. Je ne sais pas d'où elle vient. Tout va bien dans ma vie. En plus, mes parents m'ont choyé tant et plus. Nous sommes d'ailleurs restés très proches. Comment je peux perdre tous mes moyens comme ça, d'un seul coup, sans raison ? »

Gérard est un homme optimiste et particulièrement positif. Il transcende sa peur de la solitude par une très forte implication dans la créativité artistique et la « construction de ses personnages », auxquelles il consacre beaucoup de temps et d'énergie. Pour autant, il commence à reconnaître que, malgré sa facilité à se sortir de toutes sortes de situations, il existe en lui une fragilité relationnelle, tout particulièrement cette crainte d'être exclu d'un groupe, rejeté par un proche ou, pire, de ne plus être aimé. Un peu comme si cet enfant tellement « choyé » ne pouvait pas s'imaginer une seconde qu'il puisse ne pas être aimé. Lorsque Gérard ne sent pas, posé sur lui, un regard bienveillant ou « porteur », lorsqu'il a l'impression de ne plus être suffisamment aimé, tout s'écroule en lui et autour de lui, jusqu'à sa belle assurance et son entrain…

Nous venons de dessiner les portraits de trois personnes qui ont peur de la solitude. Craintes sourdes, angoisses oppressantes ou paniques soudaines caractérisent leur façon de répondre à la menace d'un abandon. Même si cette menace est imaginaire, elle les tenaille et leur fait perdre leurs moyens, souvent à leur corps défendant. Nous allons maintenant nous intéresser à la manière dont d'autres individus, pour ne pas avoir à vivre les affres de ce type d'angoisses, vont chercher à s'accrocher à quelqu'un comme à un rocher dans la tempête ou comme un bébé singe à sa maman…

Le parasitage affectif

2

Lorsque la peur d'être rejeté est très forte, les personnes souffrant d'angoisse d'abandon en viennent à s'accrocher à une autre personne, qui leur servira de rempart : un ami, une amie, toute personne aimée. Cet objet de prédilection est idéalisé, auréolé de nombreuses qualités et de toute la puissance du protecteur ; mais il doit être là, tout le temps à disposition.

Le parasitage est une réponse « affective » aux angoisses et aux menaces d'effondrement provoquées par la disparition[1] de soi ou de l'autre. Il s'agit d'une forme de « dépendance relationnelle », due à la tentation urgente, souvent frénétique, de vouloir combler les béances de l'autre ou de lui demander impérieusement de combler les siennes. L'annexion de l'autre, est un système de rapports exclusifs et fusionnels, en symbiose : l'autre est alors considéré *en miroir*, comme identique à soi, tel un double ou un jumeau.

---

1. Je reviendrai plus en détail sur les phénomènes de « disparition » dans la deuxième partie (voir p. 83).

Marta cherche la fusion à tout prix

Par bien des côtés, Marta est une personne « collante ». Elle ne veut pas que la séance se termine, n'en finit pas de payer et de noter son prochain rendez-vous, se lance dans un nouveau sujet de conversation en mettant son manteau, parle encore sans tarir sur le pas de la porte, m'appelle plusieurs fois entre les séances, etc. Parfois me vient l'image d'un cordon ombilical que Marta aurait branché sur moi. Pour l'instant, cette femme mariée, mère de plusieurs enfants, ne veut pas être autonome. Elle pourrait l'être, mais elle ne le souhaite pas. Marta se définit elle-même comme une enfant qui n'a pas grandi ou qui n'a pas voulu grandir. Marta est très liée à ses parents, qu'elle appelle tous les jours et voit très souvent. De même, elle téléphone à son mari ou à ses enfants à la moindre occasion. Marta est émotive, timide, elle dit « pleurer pour un rien ». Elle adore les sucreries et a tendance à prendre du poids facilement, dès qu'elle est « stressée ». « J'ai besoin de douceurs », précise-t-elle. En fait, Marta vit dans l'angoisse, même si elle ne le laisse pas transparaître. Marta n'aime plus son mari depuis longtemps. Pourtant, elle ne conçoit pas de vivre sans lui et se dit même tétanisée à l'idée qu'il ne la quitte.

« Mon mari est comme un jumeau pour moi, j'ai l'impression qu'il fait partie de moi.

— *Depuis quand sentez-vous cette nécessité d'être absolument reliée à quelqu'un ?*

— Depuis toujours, je crois, mais j'ai commencé à m'en rendre compte après avoir quitté mes parents pour faire mes études à Lyon. J'ai très mal vécu la solitude dont j'avais pourtant rêvé durant mon enfance. J'étais fragile et

© Groupe Eyrolles

mon futur mari n'a pas eu de mal à me conquérir en faisant mine de me rassurer, même si, au fond, il n'est pas du tout rassurant. Je suis devenue très vite complètement dépendante de lui pour la moindre chose : me nourrir, me vêtir, me déplacer, partir en vacances, sortir, voter ! Je suis comme une petite fille : incapable de rien faire seule. »

Marta croit que le seul moyen pour elle d'être acceptée – donc d'exister – serait de se fondre entièrement dans l'autre, de faire ce qu'il veut et de renoncer à sa propre détermination. « Je pensais que la seule façon pour moi d'obtenir l'amour et de ne pas être rejetée était de m'adapter totalement à ce que l'on me demande. » Au fil des années, Marta se trouve usée par ce fonctionnement qui ne lui laisse pas de répit, d'autant que, peu à peu, pour garantir la présence de son mari auprès d'elle, elle s'est mise à surveiller ses allées et venues.

« Ce n'est pas que je sois jalouse, pas du tout, c'est simplement que je ne sais plus vivre sans lui : je m'accroche à ses basques et je ne le laisse plus tranquille. Je le suis tout le temps, je veux savoir où il va, ce qu'il fait, et si possible aller avec lui et tout faire avec lui. Lorsque je ne peux vraiment pas, alors je me rabats sur un des enfants et je le colle de la même façon. Maintenant, je me rends bien compte que je suis devenue insupportable pour mon entourage ! Je ne sais pas d'où ce tempérament peut bien venir, mais je pense que tout le monde va finir par me fuir si je ne me débrouille pas un peu toute seule de temps en temps... »

De l'extérieur, nous pouvons parfois être attendris par un « couple fusionnel » : deux personnes qui semblent tellement proches et paraissent vivre en symbiose. Toutefois, au-delà des apparences flatteuses, ce type de fonctionnement est invivable. Il masque des détresses colmatées par le « collage » des deux partenaires. Ainsi, Marta s'est rendu compte que, si son mari acceptait si bien et depuis si longtemps qu'elle « le colle tout le temps », c'est que lui-même avait des attentes et des besoins équivalents, même s'il ne les exprimait pas aussi clairement.

La nécessité d'un *étayage* sur l'autre (le fait d'utiliser autrui comme une béquille pour s'appuyer sur lui) peut également prendre une forme inattendue, celle de l'envie de ce qu'il possède et de la jalousie des relations qu'il entretient…

Christophe est jaloux

La mère de Christophe lui a raconté que, enfant, il ne supportait pas qu'elle s'occupe de quelqu'un d'autre que lui. Pour s'endormir, il exigeait qu'elle reste auprès de lui, assise sur le bord de son lit, en lui tenant la main. Particulièrement exclusif, Christophe veut en permanence être le centre de l'attention des autres. Il vit très mal de ne pas être regardé et cherche à être admiré de tous.

> « Aujourd'hui, je peux plus facilement avouer que ce trait de caractère plutôt tyrannique a été le moteur de ma vocation : je voulais être au centre, regardé, entendu, écouté. Mieux qu'un avocat, le prêtre est à cette place privilégiée, chaque fois qu'il prêche, et même dans la vie quotidienne », me confie-t-il en riant.

Christophe est souvent dans un état d'excitation intense qui contraste avec sa détresse profonde. Si ce feu d'artifice permanent donne le change, une telle façon de vivre n'a cependant pas été sans conséquences particulièrement nettes sur ses rapports avec son entourage. Très tôt, dans ses relations amicales puis amoureuses cachées, Christophe a fonctionné sur le mode de la symbiose. L'autre humain semblait nécessaire à sa propre survie. Comme tant d'autres, Christophe se croyait incapable de vivre seul, sans la présence d'un « arbre dans lequel se nicher » ou « contre lequel prendre appui ».

Un jour, sitôt arrivé en séance, Christophe s'effondre, secoué par une violente crise de larmes. Il est inconsolable. Son meilleur ami du moment est très proche d'un jeune homme du même âge, avec lequel il fait du sport et sort beaucoup. Christophe, lui, à cette époque en formation au séminaire, ne peut sortir et envie terriblement la relation des deux amis, dont il se sent complètement exclu. À la fois étranger à leur bonheur, à leurs choix existentiels, à leur mode de vie et à leur vive affection, il en est malade.

> « J'ai peur que mon ami ne pense plus à moi, qu'il ne me trouve plus intéressant. J'ai l'impression de ne plus vivre. Je le questionne sans arrêt sur ce qu'ils font ensemble, je veux absolument qu'il me raconte tout, dans le moindre détail, j'imagine qu'il me cache des choses, cela m'obsède jour et nuit. Je me sens à bout. Je n'en dors même plus. »

En cherchant ensemble, au fil de nos entretiens, Christophe a pu prendre conscience qu'il fonctionne de la même façon avec tout le monde : en amitié, en amour, comme dans ses rapports avec ses collègues de formation et ses instructeurs. Durant ce passage délicat, très à vif, Christophe ne supporte plus la moindre contradiction. Il est devenu particulièrement agressif et bavard, parlant sans cesse en passant du coq à l'âne, sans plus réussir à tenir un discours cohérent, bégayant même, preuve s'il en est du désarroi dans lequel le met sa jalousie extrême. Quelle blessure profonde recouvre sa volonté impérieuse d'être aux premières loges, l'élu de tous ? Christophe ne le découvrira que bien plus tard, après avoir réorienté son existence en accord avec son désir profond… Pour le moment il repère d'autres signes de cette contrainte intérieure qui le pousse inéluctablement à attirer l'attention et le regard des autres.

« J'aime beaucoup me déguiser, pour moi-même, mais surtout pour m'exhiber devant les autres. Je choisis toujours des tenues de luxe, des déguisements princiers ou je me travestis en femme pour pouvoir porter plein de bijoux et des robes longues à paillettes. J'adore tout ce qui brille. Il faut absolument que l'on me voie. Tout cela m'excite terriblement, j'ai l'impression d'être en feu ! Après, je me sens complètement déprimé, abattu, sans force ni énergie. Dégoûté de tout. Je suis alors tout à fait perdu, parfois pendant plusieurs jours, et je me laisse complètement aller. »

Ainsi, le sentiment d'abandon est parfois intimement lié au besoin d'être considéré et reconnu, c'est-à-dire de recevoir une confirmation de notre valeur en tant que personne. Nous attendons cette confirmation des êtres qui comptent le plus pour nous ou de notre entourage quotidien…

Rinaldo a soif de reconnaissance

Rinaldo est un homme d'une quarantaine d'années. Jusqu'ici, il a réussi une brillante carrière de « manager », qui se traduit par tous les signes extérieurs d'une richesse conquise grâce à un travail sans accrocs : costumes bien taillés, vacances au soleil en club à l'étranger, équitation le week-end, bel appartement en banlieue parisienne, à l'ouest de la capitale, résidence secondaire en Normandie, etc. Pour l'instant, Rinaldo assène une explication sociologique assez convenue à son ascension sociale et à sa réussite professionnelle : ses parents étaient très modestes, il en a souffert enfant. Il enviait ses copains plus fortunés, leurs vêtements, leurs jouets, leurs activités, le prestige qu'il leur accordait. Adolescent, il avait honte de ses parents, qu'il trouvait « moches, pathétiques et ridicules ».

Je lui propose de chercher ailleurs une motivation à ses choix qui serait plus individuelle. Bien que rechignant au début, Rinaldo comprend que mon intervention lui ouvre la possibilité de parler de lui de façon plus personnelle…

D'aussi loin qu'il se souvienne, Rinaldo découvre alors, avec une légère déception, qu'il a tout le temps essayé de ressembler à ses modèles sociaux : les enfants plus riches qu'il enviait, puis les adolescents et les adultes qu'ils sont devenus. Ainsi, il n'a eu de cesse de plaire aux autres, de « faire comme eux » et de répondre à leurs attentes pour être « bien vu ». Rinaldo ne voulait surtout pas être exclu et laissé-pour-compte, ce qui correspondait, pour lui, à être abandonné. Cet homme se définit lui-même comme un « bon gars » qui « cherche toujours à bien faire » et à ne surtout décevoir personne. Il est très prévenant et se « plie en quatre pour rendre service » à ses collègues ou à ses proches. Il est un « gendre idéal » d'après sa belle-mère. Affable et poli avec tout le monde, il s'ingénie à tout faire au mieux pour être le plus utile possible dans sa belle-famille. De fait, Rinaldo est très ingénieux, il ne manque pas d'idées pour aider, améliorer, embellir, faciliter, etc. Il ne cesse d'offrir des cadeaux. En retour, il reçoit de nombreux éloges au travail comme à la maison. Rinaldo est trop parfait ! Trop parfait pour être sincère…

« Je veux absolument être accepté. J'ai tellement peur d'être rejeté. Du coup, je me sens pris dans une spirale qui m'enferme. Je ne suis pas très content de reconnaître cela. C'est la première fois que j'admets que ce rôle doré m'étouffe. Je l'ai si bien joué pendant toutes ces années que j'ai l'impression d'être complètement vide en réalité. Cela m'agace beaucoup.

— *Vide ?*

— Oui, vide : je ne sais pas vraiment qui je suis.

— *Ah ?*

— Je me rends compte que j'ai tout le temps pensé et agi pour les autres, ou en tout cas, en fonction des autres…

— *Oui ?*

— *(Il soupire.)* Je crois que j'ai un immense besoin de reconnaissance. J'ai besoin de me sentir quelqu'un. Je ne suis pas sûr d'être quelqu'un, moi, alors j'ai besoin que les autres me disent que je suis comme il faut. »

Nous avons patiemment essayé de percevoir le revers de cette médaille trop dorée. Rinaldo a pu me dire qu'en fait il a un « tempérament très anxieux » : il fume beaucoup, vérifie de nombreuses fois qu'il n'a pas oublié de fermer la porte ou qu'il a pris les bons documents pour aller à une réunion, examine son compte en banque ou son chiffre d'affaires, veille à ce que ses habits soient impeccables, son discours irréprochable… Il vérifie tout, tout le temps. Un soir, fatigué par sa journée et un peu désarçonné par nos derniers entretiens, il m'avoue qu'il a très peur d'avoir un cancer, qu'il y pense tout le temps et que cela le rend nerveux. Cette peur d'une « maladie qui le rongerait de l'intérieur » est un moyen détourné que lui envoie son inconscient pour lui signifier le vide subjectif, l'absence de personnalité profonde qui le caractérise du fait de l'attention soutenue qu'il a prêtée à sa seule apparence depuis tant d'années, pour correspondre exactement aux souhaits des autres et ne pas être abandonné…

Certaines personnes, malgré une conscience de leur singularité, refusent de l'exprimer et préfèrent entrer dans le rang du « consensus social ». Souvent, au cours de leur histoire, leur franchise a provoqué le rejet des autres. Du coup, elles ont choisi d'être « dans la norme », de ne pas se faire remarquer.

Comme Marta, ou Christophe, mais d'une tout autre manière, Rinaldo a besoin de s'appuyer sur les autres pour se « sentir exister », savoir « comment se comporter » et « tenir debout », malgré ses fragilités savamment cachées.

> « Sans les autres, je n'aurais pas osé être celui que je suis devenu mais, en contrepartie, je dépends complètement d'eux et je ne sais plus quoi faire quand je suis tout seul, quand je cherche à savoir ce que je ferais, moi, vraiment, si j'étais indépendant. Face à moi-même, je suis complètement seul, je me sens égaré. »

Le parasitage affectif et identitaire concerne de nombreuses personnes qui n'ont pas pu développer suffisamment leur personnalité propre et leur sécurité affective de base, et qui – pour éloigner d'elles le spectre de l'abandon – s'en remettent à une personne de référence en particulier, ou aux autres en général, pour décider de ce qu'elles sont, pensent, font, au détriment de leur vie intérieure.

À l'inverse, ce besoin permanent de l'autre, de son attention, de sa présence peut se muer en hostilité ou en suspicion continuelles à son égard.

Lorsque le proche semble hostile

3

Le sentiment d'abandon peut produire, à la longue, un désordre profond dans l'équilibre de la personne, la perception qu'elle a d'elle-même et de son environnement, et induire un pli, une habitude comportementale, une attitude face à la vie, qui lui est préjudiciable : colère, dureté, froideur, indifférence, rigorisme, susceptibilité et, même, conviction de persécution…

Montserrat est susceptible

Montserrat est une femme mûre, un peu boulotte et très joviale. Depuis bien longtemps, cette femme généreuse a honte de son « caractère ». Lorsqu'elle était enfant, puis adolescente, ses parents et ses frères se moquaient de son « mauvais caractère », lui reprochant d'être « capricieuse », « difficile », « hypersensible », etc. « Le pire, m'explique Montserrat, c'est que je me vexe facilement : je suis susceptible. » Cette particularité la gêne beaucoup, elle souhaiterait pouvoir s'en débarrasser ou, au moins, l'alléger. D'ailleurs, Montserrat n'a pas osé en parler pendant longtemps, comme s'il s'agissait d'une tare indigne…

Au fil de nos rencontres, je constate à quel point Montserrat est optimiste, sociable, enjouée, exubérante même. Je lui fais remarquer le contraste entre ce qu'elle exprime en séance et ce qu'elle déplore dans son tempérament. Montserrat ne sait pas comment expliquer ce décalage. Elle demeure perplexe. Un jour, elle me dit qu'au fond d'elle se trouve probablement une très grande colère : elle ne sait plus vraiment quelle colère, ni contre qui ni contre quoi. Elle pense qu'il s'agit d'une colère très ancienne. Elle se souvient seulement que, petite, elle ne supportait pas que quelqu'un la regarde, la touche ou lui parle.

> « J'étais très agitée, je ne peux pas vous dire pourquoi, je criais souvent, ma mère disait que je gesticulais tout le temps et que j'étais enragée. Oui, peut-être que j'étais violente, je sens encore cette violence en moi. Quand j'étais très en colère, j'avais le défaut de casser mes jouets ou des objets dans ma chambre. Bien sûr, je me faisais gronder de plus belle. Après je boudais un très long moment, toute seule dans mon coin. Pire, un jour, hors de moi, j'ai mis le feu à ma chambre ! »

Cette rage, parfois furieuse, qui envahit soudainement Montserrat, a été réprouvée par ses parents autant que par ses éducateurs. En cherchant ensemble, nous découvrons que la rage est une forme de destructivité en réponse à l'abandon, une réaction furieuse très souvent consécutive à un sentiment insupportable d'impuissance. Elle traduit le désespoir de ne pouvoir agir pour changer la situation, elle est l'expression d'une impasse dans laquelle se trouve une personne, du fait d'un sentiment d'abandon ou de rejet insupportables, notamment en cas d'aveuglement, de surdité ou de mutisme de l'entourage.

« Lorsque j'étais adolescente, certains jours, j'avais l'impression de ne plus être là, je ne me sentais plus entière, j'avais besoin de me sentir vivante, regardée, écoutée, j'aurais voulu que quelqu'un me parle à moi, mais mes frères se moquaient de moi et mes parents étaient trop occupés pour me parler, ils ne me faisaient que des reproches. J'ai souvent eu envie de mourir, de me suicider. Je ne savais plus comment faire, comment vivre. J'étais désespérée. »

L'incompréhension et surtout l'isolement relationnel peuvent provoquer une rage folle chez la personne qui se sent abandonnée. Ce fut le cas de Montserrat. Tant que cette rage n'est ni acceptée ni reconnue par l'entourage (et par soi), elle se répète et se reproduit dans des mises en acte destructrices envers les autres ou soi-même. La fureur désespérée peut devenir meurtrière ou suicidaire.

« Aujourd'hui, je comprends mieux ce qui s'est passé en moi. Je n'arrivais pas à exprimer mon impression d'être abandonnée. J'étais maladroite dans mes propos, mes parents ne m'entendaient pas ou me rabrouaient, mes frères riaient de moi. J'osais de moins en moins dire ce que je ressentais. Mes colères étaient suivies de punition. Alors, peu à peu, je me suis repliée sur moi-même, je me suis refermée, je suis devenue renfrognée. Je crois même que je me suis butée. Je n'acceptais plus les remarques, les critiques. Je me vexais, je me sentais offensée, puis je boudais. Je faisais la tête... Cela m'a suivie jusqu'à aujourd'hui, où je suis tellement susceptible avec tout le monde et dans toutes les situations : au travail, avec mes amis, avec mon mari. »

Ainsi, Montserrat avait savamment étouffé la rage que lui inspirait son sentiment d'abandon : sa fureur s'était muée en une intense susceptibilité qu'elle ne comprenait pas, qui l'encombrait, la gênait et même lui faisait honte.

À l'inverse de ces personnes qui, comme Montserrat, peuvent devenir particulièrement sensibles en réponse à leur sentiment d'exclusion, d'autres vont s'endurcir, se « blinder » jusqu'à devenir insensibles...

Jordi n'a besoin de personne

Un soir, tard, je reçois pour la première fois un homme d'une soixantaine d'années, qui a péniblement pris rendez-vous. Après avoir annulé, puis retardé plusieurs fois sa venue, il se rend à mon cabinet, suite à une longue journée de travail. « Je n'arrive pas à prendre ma retraite, me dit-il, je ne sais pas vivre sans mon travail, je ne parviens pas à décrocher. » Nos premières rencontres sont difficiles : Jordi parle très peu, accepte mal mes questions et mes rares propos. Il est souvent fermé, voire mutique. Jordi se braque facilement. Lorsqu'il parle, son discours est très conventionnel et impersonnel, ne quittant pas le registre intellectuel : pas d'émotions, pas de sentiments. Ses jugements sur lui-même et sur les autres sont particulièrement acérés[1]. Un soir, plus harassé que d'habitude, Jordi se détend un peu et commence à se révéler.

> « Je ne vais pas bien. Je suis usé. Je préfère vous le dire tout de suite, je ne sais pas pourquoi je viens. Cela ne sert à rien. Je n'y crois pas, à votre truc. *(Après un long silence.)* Je n'en peux plus. Tout m'agresse, tout m'irrite. Je déteste tout le monde : je suis devenu misanthrope... *(Silence.)* En fait, je suis indifférent à tout depuis très longtemps. Je ne ressens plus rien. Je me suis complètement blindé. Cela fait tant d'années que je joue le rôle du bon médecin, je le connais par cœur. Je suis devenu impassible, un véritable automate. Je n'aime personne, je n'ai besoin de personne ! »

Jordi est déconnecté de lui-même. Il ne peut pas encore percevoir son profond sentiment d'abandon, alors qu'il s'agit bien de ce vécu-là, comme il le découvrira plus tard, stupéfait. Pour l'instant, et durant toutes ces longues années, ce sont les revendications et la rudesse qui ont pris toute la place. Néanmoins, il commence à pouvoir exprimer son amertume, première forme que prend la tristesse sous-jacente à sa colère, notamment en parlant de ses filles : « Toutes des pourries, après tout ce que j'ai fait pour elles, voilà ce que j'en retire : rien, absolument rien ! »

Nous cherchons ensemble quand a pu s'installer, en lui, un tel refus de sa sensibilité, doublé d'une si forte rancune. Jordi renâcle. Il ne veut pas parler de son passé. Puis un soir, il me dit tout à trac.

---

1. Voir *Le Surmoi*, du même auteur, Eyrolles, 2009.

> « Lorsque ma femme est partie, j'ai perdu la capacité de m'en sortir par moi-même. J'ai voulu mourir. J'ai mis de longues années à réapprendre à vivre. Après une période de solitude extrême, durant laquelle j'ai bousillé ma santé à boire et à fumer, j'ai voulu me divertir et j'ai connu quelques aventures, plus sexuelles que sentimentales. En réalité, je suis devenu incapable de m'investir affectivement dans une relation amicale ou amoureuse. À chaque fois, au bout d'un certain temps - pas très long -, j'arrêtais tout et je partais, de manière brutale et cruelle même. Sans égard et avec beaucoup de mépris. »

Il s'agit d'un choix défensif radical : ne plus s'engager, ne pas s'impliquer pour ne plus risquer d'être abandonné ou trahi. Jordi abandonne pour ne pas être abandonné. Il croit ainsi pouvoir contrôler ses émotions et annuler toute forme de sentiment, même le plus ténu. Du coup, il ne vit plus de véritable relation et se dessèche progressivement, se durcit, devient amer. Jordi n'a plus besoin de personne ; il n'y a plus personne dans son existence et plus beaucoup de vie non plus…

Linda se sent victime des autres

Lorsque l'angoisse d'abandon se fige en méfiance systématique, elle devient pour celui qui l'éprouve une « clé de lecture » des événements quotidiens et des situations relationnelles selon un schéma de persécution[1]. Ce modèle persécutif pousse son auteur à interpréter

---

1. En son fondement, le vécu persécutif est surtout un moyen créatif du sujet pour ne pas se sentir disparaître du fait d'un isolement relationnel ou affectif trop radical ou trop prolongé, remontant souvent à un abandon grave durant la toute petite enfance, et particulièrement lors des premiers mois (voir deuxième partie, p. 73).

répétitivement la réalité selon la même revendication qui tourne à vide : « Je suis victime des autres. » L'enfermement qui en découle contrarie toute capacité de relation plus paisible et plus inventive. Paradoxalement, ce paradigme relationnel empêche l'acceptation de la solitude. La « victime » est devenue dépendante de ses détracteurs (potentiels ou réels).

La première fois que je rencontre Linda, je vois une jeune femme androgyne, assez nerveuse et tendue. Sa façon de s'habiller est « à la garçonne », un peu négligée, comme volontairement, pour ne pas être féminine. Malgré sa sensibilité avenante, Linda est plutôt sombre et triste. Heureusement, une facette de sa personnalité est dynamique et enthousiaste, ce qui lui permet de prendre de la distance avec une autre part d'elle-même, « victime » des autres et du sort, dans laquelle elle s'enferme parfois et tourne en rond, comme dans une cage, croyant devenir folle.

> « Lorsque j'étais petite fille, j'étais le bouc émissaire en classe et le souffre-douleur à la maison. Je ne réussissais pas à me faire aimer ou, au moins, à me faire accepter. Cela n'a pas changé. Je vais de galère en galère. »

Bien que d'une extrême sensibilité à l'injustice, plus encore que Montserrat, Linda a asphyxié sa colère, profondément réprimée en elle. Linda intériorise tous ses ressentis, y compris son indignation, qui ne sort que lorsqu'elle est à bout : souvent trop tard pour se faire entendre et respecter. De fait, Linda n'a pas été respectée et n'est pas respectée par son entourage. Flouée sans cesse, elle est donc convaincue que sa vision pessimiste du monde est vraie : elle est confirmée à chaque incident malheureux et à chacune de ses nombreuses liaisons amoureuses. Linda est allée d'hommes qui la battaient en hommes qui la méprisaient et la délaissaient pour d'autres femmes, ou encore qui la privaient de nouvelles pendant des mois.

« Ce n'est pas étonnant que je ne croie plus en l'amour et que je ne fasse plus du tout confiance aux hommes. Je suis devenue formidablement méfiante et excessivement solitaire, mais j'ai mes raisons. D'ailleurs, j'ai été souvent harcelée sexuellement par des porcs, plus ou moins vieux, même au travail, et j'ai compris qu'il n'y a pas de lieu où je puisse être vraiment tranquille. Même chez moi, je suis sans cesse visitée par des inconnus qui s'immiscent sans prévenir dans mon intimité. »

À ce stade de l'exploration de son histoire, Linda est persuadée de tout ce qu'elle raconte, convaincue aussi d'être sans arrêt persécutée : elle n'a pas encore pu percevoir clairement, en elle, la très forte angoisse d'être rejetée, ni retrouver la trace sensible, dans sa mémoire, des nombreux abandons réels qu'elle a vécus. L'angoisse de l'abandon colore la réalité de Linda, sans qu'elle s'en aperçoive…

Ainsi, que ce soit le retard d'un ami, un parent qui oublie un anniversaire, le départ d'un enfant, ou le conjoint qui néglige la Saint-Valentin, une lecture égocentrée et pessimiste des événements permet de se conforter dans une perception négative de la réalité et justifie de se complaire dans le désespoir. À défaut de vouloir faire autrement, la personne « victime » finit par se persuader de l'injustice profonde des nombreux rejets et abandons qu'elle ne cesse de provoquer.

Alors, parfois, les difficultés s'installent vraiment et il devient tentant de croire que le sort s'acharne… or, ce n'est pas le destin qui s'obstine, mais la personne, elle-même, qui répète un schéma connu, donc rassurant pour elle, bien que mortifère.

Un malheur si tenace

Amalia se trouve insensible

Le meilleur moyen de ne pas être abandonné pourrait sembler de *rester seul*. Amalia y a cru pendant de nombreuses années. Cette femme blessée supposait avoir résolu le problème de la peur de l'abandon, et de la souffrance, en se coupant du monde et en vivant seule. « Si je suis seule, personne ne pourra m'abandonner ; personne ne pourra plus me faire de mal », pensait-elle. Cette croyance lui a servi d'ancrage et de justification jusqu'au jour où la solitude est devenue trop pesante et, surtout, où la souffrance a refait surface, d'abord dans des cauchemars, puis par la résurgence de souvenirs anciens, particulièrement pénibles. Aujourd'hui, elle s'inquiète surtout de sa sensibilité disparue : « Je ne ressens plus rien, me dit-elle, plus d'émotion, plus de sentiment, plus de vibration pour la vie ; je suis sèche et dure, comme une planche de bois. »

Amalia est une femme déjà très âgée. Elle boite un peu, sa démarche est lente, son souffle court – elle souffre d'une importante obésité. Elle prend conscience de l'anesthésie de sa sensibilité. Sa torpeur lui a permis de traverser les années en « restant debout » pour pouvoir assurer un travail très exigeant et « tenir le coup ». Pourtant, en elle, comme pour Montserrat, une rage intense fulmine, retenue sous pression par un impressionnant contrôle de soi. Cette colère sort, parfois, sous forme d'éruptions cutanées brutales et violentes, couvrant de larges parties de son corps, sur de grands pans de peau. L'enveloppe charnelle d'Amalia est en feu : « C'est mon âme qui brûle », me dira-t-elle un jour. Sa peau la démange : qu'est-ce qui irrite tant Amalia ? « De tout envoyer promener », me répond-elle, tout à trac. Son mari, dont elle est aujourd'hui divorcée, l'a beaucoup déçue : il l'a trompée, pendant des années, avec un homme. Amalia a découvert le « pot aux roses » un jour, par hasard, par un appel téléphonique imprévu auquel elle a répondu à la place de son mari : « Je suis tombée de haut, je ne m'y attendais pas du tout. » Depuis, Amalia a fermé ses sens et gelé toute forme de sensibilité. « J'ai choisi de devenir insensible : je ne voulais plus rien ressentir, plus rien du tout ; je n'arrivais plus à faire confiance à personne et j'ai décidé de rester seule, complètement seule. »

Il nous arrive à tous de nous insensibiliser à un moment ou un autre pour ne pas trop souffrir ; Amalia, elle, a fait ce choix-là durablement et radicalement. « En plus, j'étais terriblement obstinée, têtue. Je me rendais bien compte que je me faisais du mal. J'ai persisté dans cette dureté que m'ont tant reprochée mes enfants. En fait, ils avaient raison, je n'ai pas voulu les entendre. Que de temps perdu ! »

Toutefois, après avoir pu exprimer sa rage rentrée, comprimée en elle pendant si longtemps, Amalia commence petit à petit à changer de regard sur elle-même. Lors de ses crises d'urticaire, d'eczéma, ses allergies cutanées, Amalia sent réellement les brûlures de sa peau enflammée et les démangeaisons de son épiderme à vif. En le remarquant, elle réalise qu'elle n'est pas insensible comme elle le croit. De même, lors de ses terreurs nocturnes ou de ses cauchemars, elle perçoit bien l'angoisse et la douleur qui la tenaillent. « Alors, je ne suis pas complètement insensible », me dit-elle, surprise. Amalia peut exprimer plus librement sa vie intérieure, avec un humour très vif. La détente dans sa présence à elle-même nous permet d'aborder enfin la question essentielle de sa vie : l'abandon et la peur panique qu'elle en a gardée au fond d'elle-même...

Philippe croit qu'il ne vaut rien

Comme nous l'avons vu précédemment, il arrive qu'une personne se sente abandonnée dans des circonstances où, pourtant, aucun abandon réel n'a eu lieu ou ne risque d'avoir lieu. Cette crainte systématique d'être abandonné est le signe d'une faible estime de soi et du peu de valeur que la personne s'accorde. Ce *manque de confiance* peut d'ailleurs être lié à un sentiment de honte[1].

Philippe est un homme très réservé et méticuleux. Son apparence est soignée. Pâle et tendu, il est particulièrement anxieux, agité, nerveux. Philippe est angoissé par l'idée de la mort, du vieillissement, de la maladie. Cet homme très discret se dénigre. Philippe

---

1. Voir, du même auteur, *Faire la paix avec soi-même*, Eyrolles, 2003.

vit dans la « honte » : de lui-même, de ses parents, de son milieu d'origine, de son « absence d'études et de fréquentations ». Ici, sentiment d'abandon et vécu honteux sont liés dans l'expérience et les ressentis de cet homme très solitaire. Lorsque Philippe se sent abandonné, il a tout de suite l'impression d'avoir déçu ses proches ou d'avoir démérité par rapport à l'idéal très élevé qu'il s'est forgé[1]. Voici le raisonnement intérieur de Philippe : « Si je suis rejeté, délaissé ou abandonné, c'est que je ne peux être aimé pour ce que je suis ; je n'ai pas de valeur. » Dès lors, Philippe dérape vers un dénigrement systématique de lui-même : il s'abaisse et ne se reconnaît aucune valeur. Il a alors peur de se montrer tel qu'il est.

> « Personne ne peut m'accepter tel que je suis. Je suis haïssable. Je dois me cacher ou me travestir pour être accepté par les autres... »

Philippe s'inquiète : « Les semaines passent et se ressemblent. » Il trouve son existence monotone. Ses doutes ne le lâchent pas. Il est tout le temps insatisfait et se trouve « bête ».

> « Je me sens honteux de mon quotidien, de ce que je suis devenu, et de ce que je serai si je continue comme ça. J'ai l'impression d'être abruti, depuis ces derniers mois, comme si je régressais et m'abêtissais. Le plus inquiétant est que je ne me sens attiré par personne, que ce soit au travail, dans les groupes de formation ou ailleurs. Mon cœur est-il desséché ? Ma vie relationnelle se limite à quelques civilités et à de rares échanges professionnels.

---

1. Voir *Le Surmoi*, *op. cit.*

Les autres ne m'intéressent pas. Mon impression de honte me vient de la constatation que je n'ai pas réussi à mettre en œuvre une existence satisfaisante : tout va à l'abandon. Je suis resté en friche. »

Philippe économise son existence comme d'autres économisent leur argent. Il retient son désir et l'empêche de se déployer. Son énergie, son potentiel, ses forces, ses élans créateurs, sa parole, ses émotions, il « retient tout » ; tout ce qui ne demande qu'à circuler, rencontrer, partager, tout ce qui permet d'aimer...

Comme Bernard, le personnage principal du roman *Des hommes*, Philippe « se reproche de toujours imaginer les choses de la même façon, de cette façon où toujours il est humilié, ramené plus bas que terre, comme si c'était toujours là où il devait finir, comme une loque, comme un rien, moins que rien...[1] ».

Pour se protéger, il arrive souvent à Philippe de rire dans des situations où il ressent du stress ou de l'agacement. « Durant ces moments-là, c'est comme si tout à coup je décrochais de l'échange pour soudain tout relativiser, au point même de trouver parfois comique ce qui est tragique ! » Philippe s'est rendu compte que les autres interprétaient cette parade comme du cynisme et du mépris ; ils l'en rejetaient d'autant plus...

D'ailleurs, pour l'instant, Philippe reconnaît qu'il n'arrive à s'affirmer qu'en étant en opposition ou en conflit avec les autres, ce qui

---

1. Laurent Mauvignier, *Des hommes*, Minuit, 2009.

le rend particulièrement antipathique : « Je ne m'aime pas parce que je sais pertinemment que je fais tout pour ne pas être aimé, même si, au fond, je préférerais que les autres m'apprécient. » Philippe, par peur de l'abandon, provoque abandon après abandon. Même s'il en a confusément conscience, il n'en démord pas. Philippe se replie dans la solitude, il construit lui-même son propre malheur.

« Ce n'est pas possible que quelqu'un s'intéresse à moi », se condamne-t-il. La relation de Philippe avec les femmes est marquée par une ambiguïté de fond : attirance et répulsion ; bonne et mauvaise volonté à leur égard ; demande d'intérêt et refus de leur affection. Par ailleurs, Philippe a peur des hommes et adopte avec eux une position de soumission qui bascule soudainement en rébellion. Ce schéma de méfiance s'active dans chaque nouvelle relation, par un automatisme inconscient de confusion entre affection et maltraitance. « Je fais foirer mes relations », reconnaît le jeune homme. À défaut d'aller mieux, il veut prouver que la malédiction est vraie : « Je cherche des personnes qui me maltraitent, me torturent, me dénigrent. […] J'ai besoin de m'assurer que je suis mal-aimable, sans intérêt. Je vais chercher des personnes qui vont me prouver que je suis sans valeur. »

Prisonnière du passé, la personne qui se croit « maudite » s'imagine que son histoire se répète : bien souvent, il s'agit de la *lecture* biaisée qu'elle fait des situations actuelles, comme si elle voyait se dérouler sous ses yeux les scènes douloureuses de son enfance. Ainsi, elle interprète à tort les gestes, les paroles, les intentions des autres… Si l'aigreur s'en mêle, les perspectives d'évolution s'assombrissent. La rancune est un poison qui s'auto-entretient. La hargne tourne en rond. À force de reprocher aux autres de ne pas s'intéresser à nous, de ne pas nous comprendre, ils finissent par se lasser de nos plaintes et par se croire incapables d'être à la hauteur de nos impossibles attentes…

Angelina va d'échec en échec

La mise en scène du sentiment d'abandon peut prendre la forme de l'*échec programmé* : arrêt brusque d'une activité, fuite d'une situation vécue comme décevante, gênante ou trop nouvelle, rupture d'une relation qui prend trop d'ampleur ou qui devient trop réelle, avec les conflits inévitables qu'engendre la rencontre d'êtres différents. Programmer ses échecs est un autre type de comportement systématique, une autre façon d'anticiper l'avenir et d'éviter l'inconnu. La réussite semble plus difficile à vivre que l'échec, auquel la personne est habituée. Sans compter les culpabilités inconscientes qui empêchent la réussite, comme pour Philippe… « Je ne mérite pas de réussir », pensent certains individus qui se vouent eux-mêmes aux échecs à répétition ; « C'est mon destin », se forcent-ils à croire comme pour se justifier !

Angelina est une belle femme dans le début de sa maturité. Pourtant, elle non plus ne veut pas croire à ses qualités. Elle n'arrive pas à accepter que quelqu'un lui fasse des compliments. Après des réussites professionnelles fulgurantes durant sa jeunesse, Angelina végète. Elle change régulièrement de petits emplois sans intérêt. Tout a basculé pour elle le jour où son compagnon, le père de son enfant, l'a « quittée pour une autre ». Angelina a peur de l'avenir ; pourtant, elle fait tout pour que rien ne vienne la rassurer.

« Je n'ai plus envie de rien. Je n'arrive plus à m'impliquer dans mon travail. J'ai délaissé mes amis. Je vis toute seule dans un petit appartement. Moi qui aimais la mode, je n'ai plus assez d'argent pour m'acheter des habits, je dois me contenter de ceux qu'on me donne. Si une amie m'invite à dîner ou à sortir, je ne peux pas m'empêcher de gâcher la soirée. Dès qu'un homme s'intéresse à moi, je me débrouille pour le dégoûter ou le faire fuir. »

Progressivement, Angelina affirme qu'elle se « suicide à petit feu ». Elle m'explique ce qu'elle fait pour saboter sa vie : « Je suis trop grosse, je digère mal et je sais que je risque d'avoir du diabète, eh bien, cela ne m'empêche pas de manger trop, et parfois je fais même exprès de manger des aliments sucrés. » Lorsqu'elle prend froid et qu'elle tousse, Angelina ne se soigne pas et attend d'être « clouée au lit » pour appeler le médecin. « Je crois que je préférerais mourir », lâche-t-elle. Au travail, elle accumule les erreurs et les « gaffes » pour provoquer la colère de ses patrons et se faire renvoyer : « Je ne compte plus les procédures de licenciements ou les démissions. »

Certains soirs, Angelina voudrait se laisser aller à « devenir clocharde ». La déchéance exerce sur elle un étrange pouvoir de fascination : « J'aimerais me laisser partir à la dérive. » Pourquoi ? « Pour prouver à mon homme qu'il a eu tort de me quitter, pour lui montrer tout le mal qu'il m'a fait. » Angelina accentue son malheur. Elle l'exagère jusqu'à la caricature pour qu'il n'échappe à personne, qu'il soit sans ambiguïté, pour faire peur et forcer la pitié des autres, en croyant naïvement que cela fera revenir celui qui l'a abandonnée…

Ainsi, avant de plaindre quelqu'un ou de chercher à se faire plaindre, il est possible de se demander quelle est sa participation dans les difficultés qui se présentent. Le sentiment d'abandon devient-il une justification au malheur ou en est-il la source secrète ?

Ce refus de percevoir et de considérer ses butées personnelles pour constamment reporter la responsabilité sur l'entourage peut enfermer dans des schémas réducteurs : ainsi en est-il de l'échec, mais aussi des dépendances graves. Lorsqu'on se sent abandonné, on s'abandonne… jusqu'à partir à la dérive et occulter sa douleur existentielle par une addiction.

Les impasses addictives

5

Les exemples qui précèdent montrent que toutes sortes de barrières, de défenses, de protections sont inventées par chacun pour faire barrage au sentiment d'abandon. À ce stade, il s'agit d'une détresse encore impensable : le réel de l'abandon est chaque fois vertigineux, son impact est souvent déstructurant, ses conséquences parfois dévastatrices.

Dans le cas des dépendances graves, le sentiment d'abandon semble rarement présent au premier plan de l'existence et de la conscience de soi. Pourtant, c'est bien lui qui organise secrètement toute la vie affective, intime et relationnelle de la personne. L'addiction vient alors faire barrage aux émotions que nous avons évoquées jusqu'à présent : angoisses, colères, envies destructrices, etc. Dans ce cas, elles sont d'une puissance telle que l'individu les étouffe ou les fuit par des moyens extrêmes, en s'accrochant à un groupe, à une activité ou à une substance…

L'éventail des addictions est très large : il arrive de ne plus pouvoir se passer de musique dans son appartement ou de radio dans sa voiture, de tel complément alimentaire ou de tel médicament qui fait office de sérum vital sans lequel il semble impossible de « tenir ». Certaines personnes sont collées à leur télévision, à leur ordinateur, à leurs jeux vidéo ou à telle plate-forme Internet de conversation en ligne[1] ; d'autres enfin sont exagérément accrochées à leur activité profession-nelle, à tel ou tel sport, à un groupe, une religion, une idée…

Maria est entrée dans une secte

Un jour arrive à mon cabinet une femme d'âge mûr, voulant et ne voulant pas – tout à la fois – faire l'expérience d'une psychanalyse. Après avoir accepté l'idée d'essayer pour un temps, Maria vient à reculons, se plaignant d'être là, assurant chaque fois qu'elle ne reviendra pas. En même temps, Maria a un vrai désir de mieux se connaître. Une fois la confiance établie entre nous, Maria peut com-mencer à parler d'elle-même. Elle se décrit comme une femme « sans qualités », difficile et pénible : « Je suis sans cesse de mauvaise humeur, je n'arrête pas de tempêter, de jurer, de grogner. Je suis grossière en plus. Je n'aime pas ça ! » Maria se plaint surtout de son indécision, tout le temps « ballottée par des vents contraires », tour-mentée par les doutes, ne sachant pas que dire ou que faire. « J'ai peur d'être bizarre et de penser différemment des autres. J'ai sans arrêt besoin que quelqu'un décide à ma place. » Pour Maria, la

---

1. Il s'agit de rapports codés, sans réalité ; dépourvus de corps, de sens, de véritable jeu, voir Serge Tisseron, *Virtuel, mon amour*, Albin Michel, 2008.

manifestation la plus évidente de sa peur de l'abandon est sa tendance à se reposer automatiquement sur les autres et à suivre à la lettre leurs prescriptions. À tel point qu'un jour, traversant une période chaotique, Maria s'est laissé enfermer dans une « communauté spirituelle », dont elle a eu beaucoup de mal à sortir.

> « J'étais tellement déprimée. Je ne croyais plus à rien. Je ne savais plus quoi faire. Sur un coup de tête, après avoir rencontré une femme un peu plus âgée que moi qui m'avait paru très sûre d'elle, je suis entrée dans une secte. J'ai naïvement cru que j'allais y trouver de vrais amis et qu'ils allaient me sauver ! »

Au lieu de l'éveiller, tous ces enseignements compliqués et ces rituels imposés endormaient sa conscience.

> « Je ne savais plus où j'en étais. Je ne savais même plus quoi penser. J'avais perdu tous mes repères. Je me sentais terriblement abandonnée : c'était encore pire qu'avant... »

Par exemple, son groupe de tutelle refusait catégoriquement toute forme d'agressivité et d'expression personnelle (l'une étant d'ailleurs considérée comme l'équivalent de l'autre). Maria a donc longtemps confondu la vivacité, même agressive, qui est une force d'affirmation (j'exprime ce que je pense, ce que je refuse, ce que je souhaite, avec conviction et détermination), et la violence dominatrice qui écrase l'autre (je cherche à manipuler, à influencer ou à blesser l'autre), exactement ce qu'elle subissait pourtant au jour le jour, sans s'en rendre compte. « J'ai passé tout ce temps à ne pas vraiment vivre », soupire-t-elle. Maria attendait un « miracle », « une bonne fée et sa baguette magique »...

La détresse liée à l'abandon fait naître une fragilité qui rend possible la soumission à un discours sectaire. Il peut sembler tentant de chercher une harmonie factice dans le groupe, plutôt que de s'aventurer à explorer son histoire et son inconscient. Il est aussi plus facile de se « diluer » dans le groupe[1], de se laisser porter par une idéologie ou des règles abstraites, mais cela empêche la perception et l'affirmation de sa spécificité. Les processus d'individuation (devenir soi-même), par nature imprévisibles et déroutants, sont alors bloqués.

L'aliénation, fiévreuse, voire fanatique, à une discipline, un groupe ou une idéologie, laisse croire au sujet qu'il évite ainsi tout risque de disparition et d'abandon. Parfois, un tel « attachement » défensif concerne plutôt la nourriture.

Sandrine est boulimique

Bien que psychique, la dépendance fait du corps son lieu d'élection : il est le siège réel où se niche l'addiction. L'accrochage morbide se construit autour de la place omniprésente du corps organique.

La boulimie consiste à manger, se « bourrer » pour remplir les vides et colmater les brèches, se « rembourrer » pour amortir les « mauvais

---

1. Le phénomène de dilution dans le groupe est une « défense » contre le sentiment d'abandon. Il correspond à une stratégie d'évitement. Voir W. R. Bion, *Recherches sur les petits groupes*, PUF, 2002.

coups » de l'existence, surtout les chocs affectifs, autant que se blinder et se construire une carapace.

Mes patientes boulimiques ont pu repérer la lourdeur et surtout
l'avidité qui caractérisaient leur système familial : la trivialité des
propos et des gestes des membres de la famille ; un désintérêt pour
les sentiments, voire l'interdiction de leur expression ; souvent une
forte avarice. Leurs parents croyaient détenir des « droits » de pos-
session sur elles. Dans le même temps, elles ne se sentaient pas exister pour les proches ; elles avaient l'impression d'être rejetées,
délaissées, abandonnées.

Tout habillée de noir, Sandrine est une femme paradoxale : à la fois
très agitée et très réservée. Elle cache une forte sensibilité derrière
une façade d'observation impassible. Elle parle d'elle avec tristesse
et reconnaît volontiers qu'elle est perfectionniste, qu'elle essaye de
tout bien faire et que cela l'épuise. Presque tout le temps « à bout »
ou « sur les nerfs », Sandrine est souvent abattue et découragée. Des
idées de suicide la traversent régulièrement, sans qu'elle ait vraiment ni le réel désir ni la détermination de mettre fin à ses jours.
Sandrine est lasse de vivre. Son angoisse d'abandon subsiste mais
s'est déplacée vers ses enfants.

« J'ai terriblement peur de perdre mes enfants. Lorsqu'ils étaient bébés,
j'allais plusieurs fois dans la nuit vérifier qu'ils respiraient bien. Cela
m'arrive encore maintenant d'aller en pleine nuit dans la chambre de chacun seulement pour m'assurer qu'ils respirent ! Quand l'un de mes enfants
arrive un peu en retard de l'école, de la danse ou du sport, je panique
complètement. »

Sandrine est très nerveuse. Le sentiment d'abandon qui la concerne directement n'est plus réellement conscient, il s'est transformé en tendance à se détruire elle-même en se gavant.

Sandrine passe par des phases de boulimie : un emballement irrépressible, fortement teinté de culpabilité, de dévalorisation, de dégoût de soi. « Je fais tout très vite. Je mange très vite... On dirait que mon corps se jette sur un truc qui va combler tout », dit-elle en remarquant qu'elle désigne son corps comme extérieur, étranger à elle-même. « L'avidité m'envahit, je ne sais ni m'arrêter ni me regarder. » Sandrine agit aveuglément, comme hypnotisée. Elle ne sait plus qui elle est, où elle est.

Petit à petit, Sandrine m'avoue qu'elle ne passe pas une journée sans être paniquée à l'idée que son mari ne la trompe ou ne la quitte. Elle sait très bien qu'il l'aime et qu'il est très attentif à elle, très honnête, elle lui fait confiance, et pourtant elle ne peut s'empêcher de se sentir en danger permanent d'être abandonnée par lui. Comme elle lui en a souvent parlé et qu'il l'a rassurée, chaque fois, elle n'ose plus lui redire ses craintes et se jette d'autant plus sur la nourriture. Puisqu'elle grossit, Sandrine a encore plus peur de ne plus plaire à son mari et de le voir se détourner d'elle pour aller vers une femme plus mince et plus jolie. Sandrine s'est enfermée, malgré elle, dans une spirale infernale, dont elle n'arrive plus à sortir. Sa peur de l'abandon a pris le dessus. Elle n'arrive plus à se raisonner, ni même à éviter de s'empiffrer de nourriture, et à maigrir pour se sentir de nouveau belle et désirable...

Fabio se drogue

Cet homme jeune ressemble à un funambule sur la corde raide en équilibre dans le vide ou à un chat qui retomberait habilement sur ses pattes. Derrière sa légèreté déconcertante se cache une grande misère affective et sociale : Fabio est sans emploi depuis très longtemps, il « squatte à droite à gauche », allant habiter chez les uns puis chez les autres ; il n'a « pas de petite amie fixe » (en fait, il n'en a pas du tout), pas plus que de domicile. Fabio n'a pas de port d'attache, il n'a jamais jeté l'ancre. La seule chose à laquelle il s'accroche et s'enchaîne, sans vouloir la quitter, c'est la drogue, qu'il appelle « ma dope », un peu comme il dirait « ma femme » ou « ma compagne ». Il part régulièrement « en chasse » pour trouver la dose qui calmera son manque. Une existence de répétitions à l'infini du même schéma.

La peur du lien et de l'engagement que ressent Fabio prend sa source dans une immense angoisse d'abandon. La drogue, elle, est sûre, elle ne fait pas défaut, Fabio l'achète, il connaît les « dealers », il peut l'avoir quand il veut.

Malgré la multiplication des « rencontres », ce sont le repli et l'isolement qui caractérisent la personne qui se drogue (de quelque façon que ce soit) ; y compris une *autarcie* intérieure. Le drogué n'aime pas sa compagnie, même s'il semble être la seule personne à pouvoir la supporter. Les patients qui se droguent évoquent à quel point, au début, chercher de la drogue a été pour eux une distraction, un jeu, avant de devenir une corvée, puis un cauchemar. Tourment, aussi, de se rendre compte qu'il n'est plus possible de s'en passer. Dans cette extrême solitude se retrouve une grande violence destructrice : la rage contre soi-même et le dégoût de soi, l'écœurement d'être et d'agir ainsi, de ne pas pouvoir s'en passer, de tout le temps recommencer, de tant se déplaire, de décevoir ses proches, etc.

> « Je brûle ma vie, elle part en cendres devant moi et je ne fais rien ! Je n'en peux plus. Comment faire ? J'en suis encore à entretenir un rapport malsain avec les drogues, à jouir seul sexuellement, à rester enfermé, retranché dans mon monde. En plus, je me trouve lâche. Je me sens bloqué comme si j'étais en prison. »

Le quotidien de Fabio tourne en rond. Seul, sans perspective, il est assommé la plupart du temps ; puis, le reste du temps, excité à l'extrême par la pression du manque. Le « survoltage » de l'excitation intense provoque une exaltation artificielle, qui fait barrage à la prise de conscience des douleurs existentielles, puis retombe sous forme de dépression et d'angoisse. L'attente souffrante s'installe et s'auto-entretient jusqu'à une nouvelle virée à la recherche de l'objet comblant, permettant d'annuler tout sentiment d'abandon : stupéfiant pour les uns, partenaire sexuel pour les autres.

« Je gaspille ma vie », me dit encore Fabio, pour l'instant impuissant face à ses choix. En effet, tous les comportements addictifs sont des choix : le choix d'une solution – chaque fois provisoire – pour échapper au vide, donc au manque qui y conduit. Le vide dont il est ici question n'est pas le vide circonscrit, délimité, la vacuité hindoue ou taoïste que cherche le méditant ; il s'agit de l'abîme, du gouffre de l'abandon : grand vide sans limites et sans fond. La contrainte[1] est terrassante, rivée à la chair : elle consiste en une infernale répétition, une épuisante recherche de la substance (ou de la situation) qui comblera, pour un temps, le manque vécu comme insupportable. « Non, je ne vivrai plus jamais l'abandon, je n'en souffrirai plus », semble avoir décidé la personne en quête de paradis artificiels.

Dans la réalité, *une dépendance en cache une autre.* Tout un faisceau intriqué d'empoisonnements s'est construit : alcool, cannabis, cocaïne, héroïne, médicaments, nourriture, tabac ; mais souvent aussi maltraitances, soumission, pratiques sexuelles désorientées, dans une répétition apparemment sans fin. Progressivement, il est possible de déceler de quelle façon la personne s'enchaîne à des produits, des pratiques ou d'autres personnes, qui lui semblent endormir ses angoisses de fond.

Après ce vaste tour d'horizon des souffrances très variées associées au sentiment d'abandon, nous allons à présent en chercher les origines, directes ou indirectes, proches ou lointaines, notamment du côté de la réalité vécue durant l'enfance et l'adolescence, autant à l'extérieur de soi (dans les interactions avec l'environnement) qu'à l'intérieur de soi (dans les mouvements intimes de nos imaginations et de nos pensées)[2].

---

1. La littérature technique parle de « compulsion » : la personne croit ne pas pouvoir faire autrement.
2. L'un ne va pas sans l'autre… Voir André Green, *L'Intrapsychique et l'intersubjectif en psychanalyse*, Lanctôt, 1998.

Deuxième partie

Les origines infantiles du sentiment d'abandon

*« Revenue en arrière, en bas, à la petite enfance, au fœtus dans la matrice.
Je me sentais une grosse tête. Mon corps s'affaiblissait, restait immobile :
rien n'y entrait ni n'en sortait. J'étais descendue presque jusqu'à mon origine,
comme une graine dans la terre avant qu'elle s'élance vers la vie. »*

Mary Barnes, Joseph Berke, *Mary Barnes – Un voyage à travers la folie*

Le sentiment d'abandon peut correspondre à des réalités très différentes. Il est nécessaire de distinguer l'*impression d'être abandonné*, qui donne lieu à une plainte, de la *crainte de pouvoir l'être*, qui produit souvent une revendication pour éviter de l'être vraiment, et d'un abandon réel, ou *vécu d'abandon*, qui constitue une épreuve douloureuse pour le sujet. Ainsi, le sentiment d'abandon dont souffre l'adulte ne repose pas forcément sur un abandon réel, bien que ce soit fréquemment le cas. En revanche, les situations d'abandon vécues dans l'enfance génèrent inévitablement, plus tard, un sentiment d'abandon plus ou moins persistant.

La première relation intime

6

« La magie du premier amour est d'ignorer qu'il puisse finir un jour. »
Benjamin Disraeli

De la symbiose à l'autonomie

Pour mieux percevoir les dégâts potentiels provoqués par les multiples situations d'abandon, prenons d'abord le temps de comprendre le fondement de toute relation.

Les descriptions des premières interdépendances de la mère et de son bébé relèvent fréquemment d'un certain sentimentalisme et surtout d'idées convenues. En essayant de rester au plus proche de la réalité, disons que la naissance du nourrisson représente la fin d'une forme de symbiose avec la mère.

L'accouchement provoque une séparation de la chaleur obscure et feutrée de l'utérus maternel autant que de la douceur du placenta et de la fluidité du liquide amniotique. Le cri des poumons qui se déploient lance le nouveau-né dans la vie au grand air. Rapidement, le nourrisson constitue les fondations de sa capacité à discriminer à partir de son approche sensorielle, déjà très personnelle, du « bon » et du « mauvais ». Il crée des premiers symboles intérieurs pour se figurer ce qui est agréable ou ce qui est désagréable, puis pour l'exprimer à travers des babillements ou des cris. Aussi cherche-t-il à se lier à son entourage. Il ne s'agit pas forcément d'une seule personne. Le nourrisson tisse des liens très forts avec toute personne sur laquelle il sent qu'il peut s'appuyer : sa mère, son père, les aînés de la fratrie, plus tard la nourrice ; les plus fiables pour assurer sa croissance, notamment par l'apport de nourriture, de soins corporels, mais aussi de chaleur, de douceur tout autant que de paroles qui lui sont personnellement adressées.

Un bébé de quelques heures, et à plus forte raison de quelques jours ou semaines, apprécie qu'un proche lui parle à lui, petit humain. Dans l'instant, le bébé se sent exister à travers l'autre, c'est-à-dire qu'il se différencie peu de son vis-à-vis : son identité, en début de constitution, repose sur la présence de l'autre. Le parent est l'assurance autant que le support de sa capacité d'exister. Il ne s'agit pas d'une « union » mythique de deux êtres en un seul ; il s'agit seulement, les premiers temps, de dépendre d'un face-à-face humain, afin de se sentir réellement là. Pour le bébé, le parent détient la clé de son être à lui, de ce qu'il est. Il se fonde sur les paroles de l'adulte attentif et fait l'expérience de la continuité du lien donc de sa présence au monde. La capacité à exister par soi-même se développe à partir de ces fondations[1]... L'enfant apprend à survivre à l'absence de plaisir, ou même au déplaisir, grâce à la joie de la rencontre. La connaissance de la joie le fait passer dans une dimension relationnelle *subtile* : il nuance son fonctionnement. Il apprend par lui-même, peu à peu, que la relation partagée et la parole échangée peuvent se substituer avantageusement à la seule satisfaction de ses besoins vitaux.

Cette croissance naturelle est perturbée si la mère (ou le père) met au monde l'enfant, puis sans prévenir, à un moment ou un autre, rompt le lien subtil entre eux. La relation n'existe plus : l'enfant ne comprend pas ce qui lui arrive et essaie, souvent en vain, de maintenir une relation dont le parent ne veut plus. Le désarroi est grand. Il peut se manifester par des troubles de la scolarité, des comportements de repli ou de violence, ou encore par des malaises physiques : asthme, eczéma, retard de croissance...

Les différentes carences dont souffre le tout-petit

Certaines manifestations décrites dans la première partie de cet ouvrage, et notamment le parasitage, prennent place pour parer au « défaut fondamental[2] » provenant de carences vécues par le nourrisson, puis par l'enfant.

---

1. Donald W. Winnicott, « Pour établir un statut unitaire », *La Nature humaine*, Gallimard, 1990. Nicolas Abraham et Maria Torok désignent par « unité duelle » la première relation intime du bébé avec sa mère (voir *L'Écorce et le Noyau*, Flammarion, 1987).
2. Michael Balint, *Le Défaut fondamental*, Payot, 2003.

- Les carences *relationnelles* concernent l'absence d'affection, d'échanges de paroles sincères, de soins corporels, de préoccupation attentionnée aux développements sensoriels, moteurs et intellectuels de l'enfant. Elles se manifestent souvent par des châtiments sans motivation, des colères injustifiées, des dénigrements répétitifs, une isolation de l'enfant ou un rejet plus ou moins marqué à son égard. Il peut également s'agir d'un enfant laissé à lui-même par des parents indifférents à son sort. L'enfant « se garde » tout seul et se replie autour d'activités solitaires (jeux vidéo, télévision). Parfois encore, l'enfant est privé de jeux ou de sorties avec des camarades de son âge.

- Les carences *symboliques* résultent d'une incapacité, ou d'un refus, des parents à donner du sens à l'existence du tout-petit et de l'enfant qui grandit en explorant le monde qui s'ouvre à lui. L'absurdité et l'arbitraire de l'existence plongent l'enfant dans une confusion parfois quotidienne, dont il ne réussit pas à émerger. Les capacités d'apprentissage à l'école sont grevées par le non-sens qui envahit le petit humain en quête de repères. Ses échecs scolaires amplifient encore plus son désarroi et son désespoir. Par lassitude, il en vient souvent à abandonner l'idée même de pouvoir comprendre un jour le malheur solitaire et sans explication dans lequel il se sent enfermé.

- Les carences *éthiques*[1] naissent d'une absence de reconnaissance durable de la dignité de l'enfant en tant que personne. Il n'est considéré ni comme un humain ni comme un être en devenir.

---

1. Voir Alain Badiou, *L'Éthique – Essai sur la conscience du mal*, Nous, 2003, et Saverio Tomasella, *Le Surmoi*, *op. cit.*

Selon les systèmes familiaux, il est pris – plus ou moins ouvertement – pour un « autre » que lui-même : une bête, une chose, un monstre, ou mis à la place d'un parent proche ou lointain…

Nous découvrirons plus en détail ces carences et leurs implications, dans les différents chapitres de cette deuxième partie (voir, par exemple, « L'enfant mal accompagné ou endeuillé », « L'enfant mal-aimé ou délaissé », « L'enfant mal accueilli ou utilisé », « L'enfant maltraité ou abusé »).

Fusion et confusion

Lorsqu'un enfant devenu à son tour parent n'a pas vécu cette fiabilité rassurante avec un adulte de sa petite enfance, à plus forte raison s'il a lui-même été abandonné, il crée facilement un rapport fusionnel avec son propre nouveau-né, pour chercher à faire enfin l'expérience de cette stabilité dont il a manqué et pour conjurer la menace d'abandon qu'il croit sentir peser (en miroir de lui-même) sur son enfant. Le témoignage de William explicite cette recherche de « symbiose » avec le premier-né.

« Quand John est né, je me suis senti émerveillé comme je ne l'avais presque jamais été. Mon bébé emplissait mes pensées… Je l'entourais, je le protégeais, je jouais avec lui. J'avais décidé de faire en sorte que John soit heureux. À l'époque, je ne savais pas encore ce qu'était vraiment une relation. Je créais un lien très fort avec mon fils. Je voulais qu'il ait une vie parfaite, qu'il soit celui que j'aurais pu être si j'avais vécu dans une famille plus accueillante. À chaque repas, je me transformais en clown pour que le repas devienne un jeu. Chaque soir, nous passions beaucoup de temps à lire des livres, puis je l'endormais dans mes bras en chantant et en le berçant. Lorsque les beaux jours sont arrivés, nous sommes allés au parc ou à la plage... John a appris à marcher dans la nature. Je le rassurais en souriant, même lorsqu'il tombait. À la plage, nous étions toujours très proches. John grandissait. Nous passions des heures à lire des livres. Nous jouions avec des jeux de construction, de la pâte à modeler ; puis vinrent les jeux sur l'ordinateur. Quand il était au parc, j'étais vigilant à l'extrême, je jouais avec lui dans les jeux pour enfants plutôt que le laisser partir à la découverte des autres. »

Ce récit met autant en lumière la « fusion[1] » imaginaire d'un parent avec son enfant que tout ce qui se rejoue d'un passé inaccompli. John ne peut pas entrer en contact avec d'autres enfants. William ne lui laisse pas d'espace pour s'épanouir dans des relations autres. Le rapport qu'entretient le père avec son enfant est exclusif. Tout faire avec son enfant, jusqu'à dormir et prendre son bain avec lui, ne plus avoir de vie affective d'adulte ne signifie pas être en relation avec son enfant et l'aider à grandir. En protégeant son fils, William cherche à protéger l'enfant que lui–même a été... L'adulte tente de combler les attentes restées en souffrance chez l'enfant qu'il était autrefois.

L'élargissement que constitue le passage de la recherche de symbiose à la relation n'est pas constitué que de séparation, d'indépendance et de conquête de soi. Il est surtout un passage à une autre dimension : celle de la *mémoire*, de la présence intérieure de l'autre en soi.

---

1. Même s'il est d'usage courant, le mot « fusion » est malvenu ; il vaudrait mieux parler de confusion – de rôles, de places, d'identités...

Il s'agit de parvenir à s'autonomiser pour vivre seul des moments de plus en plus longs, puis se déterminer et penser par soi-même. Ces franchissements successifs requièrent non seulement du temps, mais aussi une capacité grandissante de se sentir en lien subtil avec l'autre : le lien demeure, rien ne peut l'effacer ou l'entamer. L'enfant n'a plus besoin d'être lié physiquement à son parent. Il peut chérir non seulement le parent mais également sa relation avec lui, ce fil tissé entre eux qui les relie au-delà du matériel et de la seule présence physique. Lorsque cette intériorisation est réussie, il est possible de parler de relation[1].

---

1. Par exemple, la très belle amitié entre Alphonsine et Pippo dans *Le Temps des porte-plumes* (film de Daniel Duval, 2005). Pippo est un enfant orphelin, adopté par un couple de jeunes paysans qui ont du mal à le comprendre. Il trouve auprès d'Alphonsine, vieille dame rejetée par le village, l'écoute et la confiance dont il a besoin pour grandir.

L'enfant mal accompagné
ou endeuillé

7

« Mûrir, c'est entrer dans une communication de plus en plus constante, de moins en moins discontinue avec le noyau de notre être. »

Annick de Souzenelle, *La Parole au cœur du corps*

Être accompagné dans le développement de son identité

Comme nous venons de l'observer dans cette description de la première relation intime (voir p. 63 *et sq.*), le petit enfant est dans une forte dépendance à l'égard de ses parents : toute menace ou réalité d'abandon lui fait vivre une profonde détresse. Dans beaucoup de situations de divorce, les enfants, surtout en bas âge, ont très peur d'être définitivement abandonnés par le parent qui part et quitte son conjoint. Ils sont très nombreux à faire des cauchemars d'abandon des années après la séparation.

À certains moments clés de son développement ou lors de passages difficiles de son existence, l'enfant a besoin d'être accompagné par un adulte qui peut l'écouter, le comprendre, parler avec lui et l'aider à surmonter les épreuves qu'il rencontre. C'est la parole échangée dans la sincérité et la liberté de sa pensée qui permet à l'enfant de s'affranchir, à son rythme, de la dépendance à ses parents, pour constituer progressivement un monde à lui, différent de l'univers de ses parents.

Paul Ricœur précise que l'identité désigne ce qui est tout à fait similaire (*idem*, « le même ») et qui demeure à travers le temps (*ipse*, « la continuité »). L'identité ne peut être confondue avec la ressemblance. Pour être identiques, deux éléments doivent être indiscernables. Ainsi, l'identité désigne une réalité unique et singulière. Pour autant, elle est dynamique, en mouvement, même si les transformations sont imperceptibles. Chaque identité présente de multiples facettes. L'identité est variable, mouvante, en devenir. Elle désigne ce monde intime spécifique que l'enfant développe peu à peu dans son for intérieur. L'identité est précieuse. Elle mérite toute l'attention, le plus grand respect de la part des adultes et des aînés.

Si l'accompagnement par la parole sincère, respectueuse de l'identité fait défaut, l'enfant se sent délaissé, seul face à la dure réalité, ou même abandonné. Il risque alors de perdre confiance en ses capacités à aller de l'avant, en celles des adultes à le soutenir et surtout en la vie.

Le psychanalyste Nicolas Abraham précise : « D'après Jacques Lacan, c'est l'enfant qui doit accepter la coupure du cordon ombilical… Dans notre optique, ce sont les parents qui doivent accepter de mourir pour l'enfant – mourir comme bénéficiaires de son amour privilégié. Cela, constamment, à tous les moments où l'enfant est en train de naître à de nouveaux degrés de maturation, voire à de nouvelles relations[1]. »

Autrement dit, c'est l'enfant qui apprend et choisit de s'émanciper de ses parents et notamment de se détacher de sa mère. Sans aller trop vite, toutefois : c'est-à-dire en respectant le rythme propre à chaque enfant, compte tenu de son âge et de sa maturation.

L'épreuve de séparation

Le bébé laissé par sa mère, son père ou sa nounou, trop longtemps par rapport à ce qu'il est capable de soutenir, vit une sensation d'écroulement vertigineux. Son désarroi concerne l'expérience d'un vide, d'un gouffre : du fait de l'absence prolongée de la personne « contenante » (maternante), il n'a « rien à quoi s'accrocher ». Comme le dit un de mes très jeunes patients, « c'est important la présence d'une personne »...

Ainsi, deux jeunes parents, pourtant très attentifs et tendres avec leur petit garçon de deux ans, partent dix jours en vacances, seuls, et laissent l'enfant aux grands-parents. À leur retour, l'enfant semble ne plus les reconnaître, se détourne d'eux et ne leur parle plus. Le petit garçon s'était réellement cru délaissé par ses parents. Il n'était pas encore capable de garder en mémoire plus de quelques jours son lien profond avec chacun de ses parents. Il n'a pas été accompagné dans l'épreuve de séparation. Le bébé a donc vécu la disparition de ses parents : un équivalent de leur « mort ». Il lui est

---

1. Nicolas Abraham, *Jonas et le cas Jonas*, Aubier, 1999 (note de 1971).

alors très malaisé de les voir réapparaître soudainement et de faire comme si rien ne s'était passé. Pour lui, au contraire, il s'est passé énormément de choses en un temps apparemment bref pour les adultes, mais long pour un enfant si jeune. Le tout-petit ne bénéficie pas encore de cette capacité des plus grands, et surtout des adultes, à vivre la séparation, l'absence, puis le retour. Débordé par ses émotions face à tout ce que cette situation inédite demandait comme aptitude nouvelle de compréhension du réel, l'enfant a eu besoin de plusieurs jours pour retrouver ses repères relationnels avec ses parents[1]. Lorsque le petit garçon a compris que ses parents étaient vraiment revenus pour rester avec lui, il n'a plus cherché à se débrouiller tout seul, sans eux, faisant comme s'ils n'étaient pas là, mais au contraire a *mis en jeu* la disparition, par la trouvaille spontanée du jeu de cache-cache…

Ce témoignage évoque la découverte du « jeu de la bobine » par le petit-fils de Freud[2]. Lorsque sa mère partait, l'enfant s'amusait avec une bobine de fil dont il tenait une extrémité. Il la faisait disparaître derrière son lit, puis réapparaître en tirant sur le fil. Il disait *fort* en l'absence de la bobine (« elle est partie ») et *da* lorsqu'elle revenait (« elle est là »). Son jeu lui permettait d'apprivoiser l'absence de sa mère, devenant une présence–absence, une présence intérieure.

---

1. « Le travail d'investigation simultanément sensoriel et représentatif est présent dès les débuts de la vie psychique », *in* Sophie de Mijolla-Mellor, *Le Besoin de savoir*, Dunod, 2002.
2. Sigmund Freud, « Au-delà du principe de plaisir » (1920), *Essais de psychanalyse*, Payot, 1981.

Parallèlement, un développement similaire prend forme chez le parent. Face à son enfant qui grandit, le parent découvre qu'il est bon d'accepter de lâcher, de perdre, de laisser advenir, de s'ouvrir à l'inconnu ; de faire confiance à l'enfant et à la vie.

Le mur du non-dit autour d'une mort brutale

Lorsque le deuil est réel, l'enfant, ou le patient adulte, attend d'être accompagné dans sa recherche de la vérité, pour nommer la réalité telle qu'elle est, même la plus éprouvante, au plus proche de ses ressentis et de son expérience sensible.

Cet accompagnement a cruellement manqué à Maria lorsque son père, partisan du général de Gaulle, est mort assassiné en Algérie par des colons français opposés à l'indépendance de leur pays d'accueil. Maria avait seize ans…

> « Je rentrais de l'école. Était-ce midi ? Passé la porte, j'ai vu ma mère effondrée sur le tapis du salon. À droite de l'entrée se tenait mon oncle. Il a dit : "Ton père est mort." J'ai eu envie de me saisir du vase de Chine sur la vis de pressoir et de le jeter contre le mur. Je ne l'ai pas fait. J'étais comme un bout de bois dur. »

Bien plus tard, lorsque cet événement a pu être évoqué plusieurs fois en séance, tenant compte aussi de ce que son père avait vécu, Maria réussit à prendre un peu de recul. Elle raconte alors la scène comme si elle en avait été le témoin.

> « La jeune fille entre dans la pièce. Une femme est effondrée au milieu du tapis du salon. Un homme dit à la jeune fille : "Ton père est mort. Il a été assassiné à Alger." Elle entend encore "une balle dans la nuque". La jeune fille ne pleure pas. Elle est comme tétanisée. Elle semble très en colère. Elle regarde avec rage sa mère sur le tapis. On dirait qu'elle lui en veut. »

Dans ce deuxième récit, plus distancié, Maria présente les détails réels de la mort de son père ; détails absents du premier récit. Petit à petit, il est possible de franchir une nouvelle étape. Quelles émotions a-t-elle ressenties au moment de l'annonce brutale de la mort de son père ?

> « Je suis en colère. J'ai honte de ne pas ressentir de chagrin. Je me sens seule. Je ne pleure pas et pourtant il le faudrait, parce que c'est ce que l'on attend de moi ; peut-être pour me consoler. C'est ce que je voudrais en tout cas. Pourtant rien ne se passe. J'ai honte et je me sens abandonnée. Je me sens une mauvaise fille. Une méchante fille. Une sale fille. »

Maria exprime son conflit intérieur. Son malaise est engendré par le décalage entre ce qu'elle perçoit en elle et ce qu'elle croit que son entourage attend d'elle. Une nouvelle fois, lorsque Maria parvient à raconter la situation avec plus de recul, la réalité retrouve sa place.

> « L'atmosphère est très lourde, l'horreur semble avoir envahi les lieux. La jeune fille est figée. Elle semble ne pas savoir quel comportement adopter. Il y a des enfants plus petits, maintenus un peu à l'écart, dans la cuisine,

avec leur grand-mère. On dirait qu'il n'y a pas de communication entre les personnes présentes. Chacun vit le poids de la nouvelle dans une absolue solitude. L'oncle essaie pourtant de parler à la mère. La jeune fille semble très nerveuse. »

Se recentrant sur elle-même et ce qu'elle a vécu, Maria exprime ce qui a été le plus pénible pour elle ce jour-là.

« Il me semble que ce drame ne me touche pas vraiment, qu'il ne me concerne pas, qu'il n'est pas réel. La douleur exprimée par le comportement de ma mère ne me touche pas non plus. Je lui en veux. Je suis étrangère. Je ne suis pas l'orpheline. Les orphelins, ce sont les petits enfants, mes frères et sœur, qui semblent préoccuper les adultes. Je voudrais tout casser mais je n'ose pas. »

Maria progresse dans sa prise de conscience : elle arrive à nommer clairement la disposition intérieure des protagonistes et les interactions entre eux.

« Pourquoi tous ces gens ne se réchauffent-ils pas en se prenant dans les bras ? On dirait une scène surréaliste où chacun se fuit pour ne pas risquer de se toucher. Il y a les petits enfants à qui l'on parle doucement. Je n'ai pas vu qu'on les serre dans les bras non plus. On dirait une bande de zombies qui ne veulent pas réagir comme le commun des mortels. En pleurant simplement et en se réchauffant... ou en cassant tout dans une explosion quelconque. Il faudrait que quelque chose se passe. Il ne se passe rien. Cette scène me fait penser à un film en noir et blanc dont le but serait d'empêcher toute émotion. »

Après l'annonce du meurtre de son père, Maria poursuit le cours de son existence à elle. Délaissée par sa famille, sans la moindre aide pour faire face à la situation, elle se débrouille comme elle peut pour retourner au lycée.

> « Je me suis assise sur le grand banc au milieu de la cour principale, droite comme un I. J'espérais offrir un spectacle touchant qui allait faire venir à moi des élèves émus, sensibles et qui m'entoureraient de leur compassion et de leur amitié. Rien ne s'est passé. Les élèves ne sont pas venus. Il m'a semblé qu'ils m'évitaient. J'étais "à bout de désespoir" et me suis dit que décidément rien en moi ne pouvait provoquer l'amour et la chaleur humaine. Même cet état d'orpheline dont le père vient de mourir dans des circonstances extrêmes, dramatiques, dont j'aurais cru pouvoir me "servir" pour apitoyer et devenir soudain quelqu'un de vivant... J'ai ressenti au fond de moi la certitude que la seule manière d'attirer l'attention, c'était d'éveiller le désir sexuel. Je me suis vouée à cette entreprise comme si elle était la seule manière d'avoir une prise sur les autres et sur la vie. »

Maria fait le lien avec son addiction sexuelle. Elle comprend ce qui l'a poussée dans sa « voie de garage », séduire les hommes pour obtenir, croyait-elle, un peu d'attention et d'intérêt. Avec le profond regret de ne pas avoir connu d'affection, ni dans sa famille ni même à l'école.

> « J'étais dans une boîte à bac chic pour riches. Le directeur de l'école est venu me chercher pour m'entraîner en classe. En y repensant, je me rends compte à quel point tout cela était désolant et manquait d'humanité. Depuis, j'ai souvent vu un enfant qui arrive dans un groupe d'autres

enfants, sous le coup d'un événement triste, se faire entourer, serrer, réchauffer par la compassion de ses camarades. Pourquoi la jeune fille que j'étais n'a-t-elle pas favorisé cette réaction de compassion ? Parce qu'elle ne manifestait rien et attendait simplement comme une victime prête à monter à l'échafaud... »

En l'absence d'écoute et de soutien de la part de ses proches, Maria s'abandonne à son tour. Au lieu d'aller vers les autres, pour parler du malheur qui l'accable, elle attend qu'ils viennent... Ils ne viennent pas à sa rencontre. Elle les a oubliés, ils l'oublient de même. L'enfant délaissé reste souvent figé dans sa conception d'un monde idéal, donc irréel, qui répondrait par magie à ses attentes déçues...

L'enfant mal-aimé ou délaissé

*« L'enfance a des manières de voir, de penser, de sentir qui lui sont propres ;
rien n'est moins sensé que de vouloir y substituer les nôtres. »*

Jean-Jacques Rousseau

L'enfant importun

Certains patients éprouvent des réticences à parler. Ils se retiennent, leurs propos sont entrecoupés de longs silences gênés. Ils craignent d'ennuyer leur psychanalyste… Ce sont souvent des enfants qui se sont ennuyés auprès de leurs parents, par manque de relation vivante avec eux : les parents n'arrivaient pas à leur accorder un peu d'affection ou tout simplement un minimum d'intérêt. L'enfant posé comme un paquet dans la cuisine pour manger, à l'école pour la journée, puis dans sa chambre pour s'occuper et dans son lit pour dormir, est un enfant en sursis d'existence, en transit chez lui, auprès des siens. L'abandon est parfois invisible…

Enfant, Philippe était souvent malade : cela énervait son père, qui lui faisait des remarques déplaisantes.

« Ma gorge me démangeait, mais je retenais ma toux... *(Long silence.)* Je me retenais aussi de parler.

— *Pourquoi ?*

— Mon père ne supportait pas d'être contredit. [...] Tout ce que je pensais ne correspondait pas à mes parents, alors je ravalais.

— *Vous faites pareil avec votre psychanalyste ?*

— J'ai peur de dire des bêtises...

— *L'enfant-patient croit qu'il doit être "parfait" et en "bonne santé" pour ne pas ennuyer son parent-psychanalyste ?*

— J'ai toujours l'impression de me tromper, de déranger, d'être de trop.

— *C'était le cas dans votre famille ?*

— *(Philippe soupire.)* Ils ne me laissaient pas tranquille. Ils s'acharnaient sur moi. »

L'enfant qui n'est pas accueilli dans son être développe des stratégies d'invisibilité : pour déranger le moins possible, ne pas prendre de coups, trouver un peu de répit. Il a besoin de se retrouver un tant soit peu, de peur de disparaître...

Au fil de ses associations, Cristina se rend compte que, parfois, son père la « laissait tomber » brutalement, sans prévenir, « pour s'occuper de quelqu'un de plus important ». « Peut-être qu'il pensait que je ne ressentais rien, comme si je n'existais pas vraiment. » Très souvent durant son enfance, Cristina a cru qu'elle devait « se contenter de ce qu'elle avait » et « ne rien demander ».

Quand l'enfant disparaît

La disparition désigne un évanouissement de la présence au monde. L'enfant sent son identité vaciller. Il ne sait plus qui il est. Il ne se perçoit plus, même dans son corps. Ces sensations sont-elles vraiment les siennes ?

La disparition est souvent la conséquence d'un engluement dans les propos de l'autre sur soi. La personne vit un effacement ; elle « part dans un désert blanc », « bascule et tombe dans un précipice », pour reprendre les expressions de mes patients.

L'enfant qui se sent disparaître lutte pour ne pas être réduit aux demandes qui lui sont adressées par ses parents, aux discours le concernant et aux « inventions » de son entourage sur sa personne. La lutte peut être physique pour ne pas s'évanouir, ou psychique pour ne pas perdre son identité et garder contact avec la réalité. Par moment, la pression est telle que les efforts pour maintenir un minimum d'identité personnelle et ne pas s'effondrer semblent représenter un combat de tous les instants.

> Jennifer est une jeune femme qui, enfant, n'a pas réussi à « se faire aimer de sa mère[1] ». Cet échec répété à faire naître chez sa mère de l'intérêt et de la tendresse pour elle la « poursuit comme une ombre » dans son existence d'adulte. « Je suis terrorisée. Comme lorsque j'étais enfant. Je n'arrive pas à grandir face à mes parents. Je reste cette éternelle enfant effrayée... Je sais bien que plus je laisse traîner cette histoire et plus il sera malaisé de revenir

---

1. La mère de Jennifer a vécu, elle aussi, deux histoires d'abandon : sa mère l'a complètement délaissée et son père est mort lorsqu'elle était enfant.

sur les faits. Pourtant, je suis paralysée à l'idée de parler à ma mère. Je cède finalement à son chantage silencieux, qui m'impose le silence. Je trouve affreux de devoir encore vivre ça à mon âge. »

La fille reprend à son compte, contre elle-même, la dévalorisation permanente mise en œuvre par sa mère. Jennifer croit que cela la constitue, elle, dans son identité, alors qu'il ne s'agit que d'un mécanisme qu'elle a internalisé. Jennifer se mésestime, se dévalorise. Pendant tant d'années, elle est restée figée face à sa mère qui l'humiliait et son père qui laissait faire – « lâchement », dit-elle. Pas de réaction, pas d'agressivité, pas de rébellion : Jennifer a appris à ne surtout pas faire de vagues.

Du fait de son origine étrangère, Angelina était préférentiellement la cible du sadisme de sa maîtresse de cours préparatoire. Elle a appris très tôt à ne surtout pas se faire remarquer, à se faire oublier, à devenir invisible. Elle garde aujourd'hui cette tendance à s'effacer, à s'excuser pour tout et rien. Angelina le dit elle-même, elle ne vit « qu'à moitié ».

Lorsque les discours des parents sur sa personne embrouillent l'enfant, celui-ci peut chercher à compenser cette lacune en se construisant une *fausse personnalité* pour correspondre aux attentes (réelles autant que supposées) et aux fonctionnements (visibles et invisibles) de ses éducateurs[1]. Nous y reviendrons dans le chapitre suivant (« L'enfant sans qualités », p. 96).

---

1. Ronald D. Laing, *Le Moi divisé*, Stock, 1970.

La part morte en soi

Beaucoup de personnes marquées par une situation d'abandon portent en elles une zone éteinte, un espace déserté. Le plus souvent, elles ne s'en aperçoivent pas. Une situation particulière vient parfois réveiller péniblement la conscience de ce qui ne vit plus en elles. Par exemple, quand les autres rient, sont vivants, l'enfant, ou l'adolescent, peut être amené à sentir sa part morte en lui, par contraste, éclairée par la joie des autres à laquelle il ne parvient pas à accéder. Le décalage entre sa gravité involontaire et la légèreté de ses camarades peut le plonger dans le désespoir.

> Jennifer découvre peu à peu qu'une partie d'elle est dévitalisée. « Je me sens démunie de trop de choses, comme si toute ma vie passée ne m'avait rien apporté. Comme si je devais tout recommencer sur d'autres bases. Cette solitude me pèse trop. Je réalise que toutes les relations importantes de ma vie ont été des relations de soumission : cela me fait un effet terrible. Je ne suis pas vraiment vivante face aux autres. »

Combien sont-ils, ces enfants abandonnés d'hier et d'aujourd'hui à filer doux par peur de ne pas être appréciés, acceptés, reconnus ? Nombreux, si nombreux. Comme Philippe, Cristina et Jennifer, ils ont docilement appris le langage codé de leur entourage pour se faire accepter et passer le plus inaperçu possible. Ils se sont cachés sous leur uniforme.

Comment reprendre pied ? Être ou faire comme les autres ? Se normaliser pour ne pas se faire remarquer ? Cette option peut sembler efficace à brève échéance, mais elle enferme celle ou celui qui la choisit dans une coquille vide. La personne se durcit et la part morte devient prépondérante.

L'enfant mal accueilli ou utilisé

« J'étais un enfant, ce monstre que les adultes fabriquent avec leurs regrets. »
Jean-Paul Sartre

Lorsque le parent ne peut accueillir son enfant

Dans de nombreuses situations, le bébé qui va naître est peu ou pas accueilli. Certains parents n'éprouvent rien l'un pour l'autre, ou ne s'aiment plus au moment où leurs échanges sexuels débouchent sur une conception ; d'autres programment un enfant comme ils prévoient d'acheter une voiture ou de faire construire une maison ; d'autres aussi n'ont pas réfléchi au fait de concevoir un enfant et se trouvent dépassés par l'événement ; d'autres encore ne se sentent capables d'être le parent que d'une fille ou d'un garçon et sont paniqués à l'idée de devenir parent d'un enfant de l'autre sexe ; d'autres enfin croyaient vouloir un enfant et sont désappointés ou ressentent un fort rejet au moment de l'arrivée du bébé…

N'oublions pas le cas de figure le plus fréquent : une jeune mère ou un jeune père, malgré toutes ses bonnes intentions, est « rattrapé(e) » par son enfance, ses souvenirs de tout-petit, la façon dont il (ou elle) a été éduqué(e), les malaises et les déboires qui ont jalonné son enfance. À son insu, tout cela vient contrarier ou perturber son projet de parent bienveillant et le (la) freine dans ses capacités concrètes à accueillir son enfant dans la réalité quotidienne.

Bien entendu, une situation dramatique peut également tellement absorber un parent, dérober toute son attention et son énergie qu'il ne lui reste pas de disponibilité pour son bébé. Le chômage, un secret, une forte honte, une maladie grave, la mort d'un proche (parent, frère ou sœur, et surtout enfant) détournent presque inéluctablement, souvent pour un temps, parfois définitivement, le parent éploré de son nourrisson.

Marc a connu ce vide sans fond lorsqu'il était bébé. « Il existe un abandon insidieux (comme lorsque quelqu'un meurt et qu'on ne retrouve pas son corps pour faire son deuil), c'est l'abandon par l'oubli, par l'absence. Rien n'est pire que d'être en présence de quelqu'un de cher et de voir à quel point on n'existe pas pour cette personne. » C'est le cas lors de la naissance d'un enfant « de remplacement » après le décès d'un autre enfant. Marc l'a vécu lors de ses premières années... Sa sœur, née de la tromperie, dans un univers morbide, n'a pas résisté à la pauvre vie qui l'attendait. La mère de Marc, se sentant coupable de cette grossesse et de cette naissance non voulues, puis de la mort de l'enfant, a fini par idéaliser la petite fille morte, vue comme une martyre. Elle a toujours préféré porter sur elle, dans son portefeuille, la photo de sa fille morte plutôt que celle de Marc et de son jeune frère.

Lorsque Linda est née, ses parents étaient absorbés par la mort d'un premier enfant, disparu des suites d'un cancer de la lymphe[1]. Le père de Linda a choisi de s'échapper dans des distractions personnelles en dehors de sa famille : sport et maîtresses. Il ne parlait pas à sa fille. La mère de Linda s'est réfugiée dans une religion bigote, ainsi que dans la cuisine, s'affairant dans la maison du matin au soir. Elle réprimandait souvent sa fille, qu'elle ne considérait pas et qui l'encombrait. Linda a grandi dans une famille où rôdaient sans cesse la mort et un silence épais, tenace, qu'elle ne comprenait pas. Seul l'espace de sa fantaisie lui a servi de lieu où exister un peu, à l'abri du grand froid de la mort... en échafaudant des histoires sans fin autour de la maladie de ce grand frère qu'elle n'a pas connu.

En plus d'être abandonné, l'enfant peut devenir, au fil des années, un élément gênant, incompris par ses parents, qui le vivent comme un étranger.

L'enfant vassal du modèle parental

Du berceau jusqu'à l'accès à la marche, puis surtout à la parole, à la lecture et à l'écriture, l'enfant dépend de celles et de ceux qui assurent sa subsistance et son apprentissage. Lorsque l'éducation reçue est fondée sur le respect de l'enfant, de ses expériences, de sa pensée et de sa parole, le mode relationnel intériorisé est favorable à son développement autonome et à son épanouissement. À l'inverse, et selon des caractéristiques et des degrés très variés, lorsque l'éducation a consisté en un « dressage » quel qu'il soit (culturel,

---

1. Voir Saverio Tomasella, *Faire la paix avec soi-même, op. cit.*

intellectuel, religieux ou social), l'enfant éprouvera de l'embarras à vivre librement dans la réalité.

Ainsi, il existe des parents (ou grands-parents) que nous pourrions qualifier d'« intellectuels ». Leur conception de l'enfance, de l'éducation, de la société correspond à un modèle mental, rationnel. Cette intellectualisation leur évite de « trop » s'impliquer, elle les protège du risque de s'engager dans la relation à l'autre, donc d'être parfois déçus. Ils ont une théorie sur tout, donc une « théorie sur l'enfant », parfois très raffinée. Cette fiction idéale les empêche d'être en contact réel avec la personne de l'enfant. Celui-ci n'est qu'une idée, le rouage d'un engrenage, un maillon de la chaîne. Les adultes appliquent sur lui un programme d'éducation qui correspond à un « dressage » obéissant à des règles arbitraires. Ils pratiquent une normalisation, en fonction de « normes » abstraites prédéfinies[1].

> Une image survient en séance : Montserrat voit des « prélats en noir, imposants », qui veulent l'« endoctriner ». Elle se souvient de la « rigidité cruelle » du curé lorsqu'elle était enfant et allait au catéchisme. Dans son souvenir, elle n'existait pas en tant que personne humaine. Il lui était interdit de penser. Son intelligence et sa sensibilité étaient anesthésiées. Il n'y avait plus de place pour la fantaisie, la poésie. « Comme j'avais envie de sortir, de m'en aller, de courir dans les champs ! Je voulais partir à la découverte d'un ailleurs. »

---

1. Daniel Paul Schreber (1842-1911), magistrat allemand, auteur de *Mémoires d'un névropathe*, a vécu pareil mauvais traitement dans son enfance, qui l'a rendu fou. Voir Sigmund Freud, *Le Président Schreber*, PUF, 1995.

L'enfant adopte une posture de dépendance au modèle parental, en croyant qu'il fait partie de lui, qu'il détermine son identité. Pour ne pas se sentir isolé ou risquer d'être exclu du clan familial, un enfant accepte parfois de se mettre en *allégeance*. Le modèle parental devient son paradigme identitaire, son « schéma directeur », ce qui le structure inconsciemment. Il obéit aux règles tacites de sa famille, souvent en vigueur depuis plusieurs générations. Devenu adulte, il se sent lié par un serment vis-à-vis des membres de son clan. Pour maintenir sa loyauté à ce serment, il s'interdit de questionner les dysfonctionnements des codes et des références établis dans sa famille. Au mieux, il entre en conflit avec son modèle internalisé ; au pire, il le reproduit sur les autres : collègues, élèves, enfants.

Malgré ses nombreuses réticences, Marc commence à mieux comprendre qui est son père, au-delà des apparences[1]. Issu de l'émigration polonaise après la Seconde Guerre mondiale, le père de Marc s'est efforcé de « s'assimiler » à sa nouvelle culture pour devenir un « vrai Français » en se débarrassant de sa culture d'origine. Ce père a été profondément bousculé dans ses repères au moment de son enfance : devenue veuve assez tôt, sa mère, la grand-mère de Marc, lui a donné la place privilégiée de confident à ses côtés. Elle l'a idolâtré auprès de tous. Le petit garçon l'a « prise au mot ». S'estimant « magnifique », « au-dessus de tous » et « déjà grand comme un homme, fort comme un chef », le garçon s'est cru dispensé de grandir et s'est révélé un « petit tyran ». Devenu père, il reste infantile, bien

---

1. Il est long d'accepter que la réalité invisible des personnes que nous croyons connaître puisse parfois être tout autre que ce que nous voyons de prime abord et qu'elles nous laissent entendre. Il est nécessaire de s'aventurer au-delà des discours et des comportements de façade.

que très dur et autoritaire. Il est particulièrement jaloux des relations de sa femme avec leurs enfants. Il veut être au centre, il n'a de cesse de contrôler anxieusement chaque situation. Lorsqu'un de ses enfants, surtout les garçons, n'est pas de son avis ou ne se soumet pas, il l'attaque, de mille et une manières, pour assurer sa domination : il nie l'évidence, l'humilie, l'accuse de fabuler, lui oppose les idées d'experts qui font socialement référence, tourne en dérision ses propos en faisant des jeux de mots[1], etc. Le père de Marc demande à ses fils de suivre méticuleusement ses préceptes éducatifs. Marc a progressivement compris que son père, « tout gentil » avec l'entourage social, « mielleux avec les femmes », est en fait haineux[2] avec ses proches : il ne les laisse pas vivre, respirer, s'exprimer...

Ici, la détresse du petit garçon abandonné a donné naissance à deux formes de dépendance. La première est principalement idéologique. En l'absence de père, le père de Marc s'est construit un modèle d'éducation conforme à l'idéologie dominante. Pour devenir comme les autres et ne prendre aucun risque, il a opté pour une pensée préfabriquée, en miroir de ce qui est conventionnellement admis. Il dresse ses enfants selon un modèle préétabli, au lieu de les aider à découvrir qui ils sont. Plus encore, son ambition sociale, pour laquelle il a tout sacrifié, lui a permis de devenir un « modèle » de sa nouvelle culture. La seconde forme est une dépendance de fond : elle réside dans ce rapport particulier de « mari de remplacement »

---

1. Bien sûr, il s'agit là des conséquences de l'abandon vécu par le père de Marc (voir la première partie, « Les manifestations du sentiment d'abandon »).
2. La principale « arme » de la haine est le jugement, la condamnation sans appel. Nous pourrions l'appeler « assignation d'identité ». Par exemple, le jugement qui annule l'autre sous-entend : « Tais-toi, je sais qui tu es ; je dis que tu ne vaux rien : tu ne vaux rien. » Le discours qui tue, bien plus qu'une parole, est un *acte* meurtrier.

pour sa propre mère. Celle-ci lui a conféré le rôle de chef de la famille, niant sa réalité d'enfant et le posant sur un piédestal qu'il n'arrive pas à quitter aujourd'hui. Toute personne autre, indépendante, différente de son modèle devient pour lui un « ennemi » potentiellement dangereux, qu'il cherche à neutraliser…

La personne vassale se défend activement contre tout individu susceptible de pointer les dysfonctionnements de son clan. Les codes faussés sont si profondément ancrés que le vassal ne perçoit plus qu'il obéit à des règles absurdes.

William est le dernier enfant d'une famille qui exige d'être « le meilleur ou rien », pour avoir quelque chance d'être « reconnu ». Obligation de faire de brillantes études, d'être le meilleur en sport, d'avoir une belle femme. William répond à toutes ces exigences familiales. Il bride sa créativité. Dans son clan, les rapports reposent principalement sur l'humiliation, le mépris des autres. Il n'y a pas de relations, plutôt une compétition permanente. Ses frères et sœurs, autant que lui, sont complètement isolés. Les sentiments et les émotions n'ont aucune place. Toute demande d'affection est ponctuée par : « On n'est pas des pédés ! » Seuls les mourants font l'objet de quelques attentions. Comment William va-t-il pouvoir démonter le système qui le maintient prisonnier ?

La personne en allégeance devient « sourde » et « muette ». Elle n'a plus accès à la possibilité de remettre en cause son emprisonnement et son empoisonnement[1]. Le questionnement sur l'ordre établi dans la famille ou le clan est impensable : il est remplacé par un vide

---

1. Voir les films de John Cassavetes, *Une femme sous influence*, 1975, et d'Alfred Hitchcock, *Les Enchaînés*, 1946.

désaffecté, une zone morte, un *no man's land*. Toute remise en question est empêchée par un « trou de conscience », un « blanc » dans la capacité de penser...

Philippe souffre d'un « handicap relationnel » qui le maintient dans une grande et morne solitude. Nous cherchons ensemble ses origines. Philippe se souvient que son père, enseignant austère et « très sévère », lui laissait entendre : « Tout ce que tu es me fait peur ; surtout, fonds-toi dans la masse, ne sois pas toi-même. »

Dans la réalité, même si cela peut paraître difficile à admettre, il n'y a pas de normalité. Les standards sont issus de conventions qui ne sont que des croyances liées à tel groupe social et à telle époque. Nous sommes tous uniques et différents. Le respect naît de la reconnaissance de son unicité.

Philippe raconte un rêve récent. « Je suis dans une ancienne salle de classe. Elle ressemble à une classe de mon enfance, à l'école primaire. Je demande des conseils à une collègue pour la correction de copies. Elle me donne des conseils saugrenus, en parlant très fort, sans s'impliquer vraiment. Elle s'en moque. Elle m'assure que c'est très important d'écrire les notes de chaque élève à la craie, par terre, en gros. Je suis abasourdi. Je ne comprends pas ce qui se passe. Elle s'en va en sautillant et en faisant de grands gestes. Je la vois partir vers le fond de la classe. Je me retourne. Un homme assez âgé, terne et malingre nettoie les cases contre le mur et pulvérise un insecticide. Il insiste particulièrement sur l'une de ces cases. Dedans, il y a un bébé, petit, très maigre, très pâle, oublié. Il est emmailloté très serré, complètement immobile. Il a du mal à respirer. L'homme va-t-il le tuer avec l'insecticide ? »

Dans la première partie de son rêve, Philippe retrouve l'impression d'absurdité qu'il ressentait face aux discours « ennuyeux » et aux règles « bizarres » que lui imposaient ses parents. La seconde partie lui permet de remonter plus loin dans son histoire et de s'interroger sur la façon dont son père a pu, ou n'a pas pu, l'accueillir quand il était bébé. Après avoir pris le temps d'aller parler avec lui, il apprendra qu'effectivement son père ne souhaitait pas d'autre enfant que son frère et sa sœur. Il ne s'est pas intéressé à lui et l'a délaissé, même s'il faisait parfois « des efforts maladroits pour s'occuper un peu de lui » (son fils).

L'enfant poupée ou poupon

Certaines jeunes personnes, souvent des femmes, imaginent pendant des années qu'il sera formidable d'avoir un enfant et de s'en occuper. Elles sont persuadées à l'avance d'être les mères merveilleuses d'enfants idéaux, qui seront toujours en accord avec elles. S'admirant dans un miroir imaginaire, elles se délectent de cette image, si satisfaisante pour elles, d'une maternité idyllique. Devenues mères, elles demandent à l'enfant de jouer ce rôle sur mesure qui leur permettra à elles de tenir leur rang de mères parfaites. L'enfant n'existe pas vraiment, il est seulement un instrument : le moyen qui assure à son parent de se valoriser socialement et de s'imaginer vivre un conte de fées.

Montserrat raconte que sa mère, veuve, ramenait souvent des hommes à la maison. Elles habitaient toutes les deux un petit appartement et Montserrat entendait sa mère le soir dans la pièce voisine. « Sa jouissance était bruyante, parfois je n'en pouvais plus de participer malgré moi à ses ébats. » La mère de Montserrat, très moqueuse, rejetait cyniquement les demandes d'affection venant de sa fille. « Lorsque j'étais très malade, ma mère s'occupait un peu de moi. Pourtant, j'avais l'impression qu'elle ne s'intéressait pas à moi, mais à ma maladie. Seulement à ma maladie. J'étais encore plus honteuse. Je me sentais perdue, affreusement seule. » La mère de Montserrat ne voulait pas d'une enfant, mais trouvait parfois des occasions de « jouer de nouveau à la poupée » avec sa fille, comme lorsqu'elle était petite.

Tantôt Montserrat semble ne pas exister pour sa mère (celle-ci ne tient aucun compte d'elle), tantôt elle est une sorte de « divertissement », au gré des caprices et des humeurs de sa mère, comme un poupon inerte. Peut-être la mère de Montserrat n'avait-elle pas pu assez jouer à la poupée étant petite. Peut-être sa propre mère ne s'était-elle pas vraiment intéressée à elle non plus… Lorsqu'il n'est pas révélé et exprimé, l'abandon se transmet, implacable, d'une génération à l'autre.

L'enfant sans qualités

Les familles qui fonctionnent selon des critères uniquement matériels provoquent la même désaffection chez l'enfant. Pas de sentiment, mais des valeurs techniques : la logique des raisonnements prime ; le calcul est souverain ; les moyens et les résultats servent de mesure à chaque action. Ce seront telles études, tels métiers qui « rapportent », tels vêtements ou voitures qui « en imposent », tel quartier, tel type de fréquentations, etc. La voie de chaque enfant est tracée d'avance.

Maria se souvient de son adolescence. Bien que grandissant dans une famille particulièrement aisée, élève en uniforme bleu marine dans une école religieuse huppée, elle se sentait « misérable ». « Je traînais lamentablement, j'étais souvent là assise sur un banc, misérable, comme un sac à patates. » Maria a mis très longtemps à oser se prononcer. « J'étais terrorisée à l'idée de dire ce que je pensais vraiment, à tel point qu'à force j'ai fini par ne plus savoir ce que je pensais, moi. » Maria se rendait compte que sa famille « faisait semblant ». Comme ses parents, elle avait appris le « discours hypocrite » de son milieu. Elle se demande si le mot d'ordre n'était pas, au fond, d'en « jeter plein la vue » et surtout, de « cacher ses sentiments ». Les émotions étaient malvenues, elles étaient même considérées comme impolies. Maria perçoit de quelle façon, devenue adulte, elle a *décidé* de « participer au modèle familial » en se l'appropriant, jusque dans le choix de son métier[1]. « Je me suis satisfaite de ce pis-aller. Je ne sais pas ce que j'en retirais, à part la croyance sans fondement de faire partie d'une élite ! [...] C'était ma façon de dire mon appartenance à une classe sociale, à un clan (ma famille est une véritable institution), mais moi je n'existais pas. J'étais complètement creuse : une coquille vide ! »

L'intelligence correspond à une expérience sensorielle : *la sensibilité permet de percevoir et de penser.* Les conventions sociales et la morale, de quelque milieu qu'elles soient, du plus plébéien au plus aristocratique, étouffent l'amour et empêchent le développement de l'intelligence. L'enfant, réduit à l'obéissance passive, transformé

---

1. Marc fera une découverte identique concernant le choix, à la fin de son service militaire, de *faire* comme son père, puisque « ça marche », tout en essayant, au fond, de ne pas *être* comme lui...

en singe savant par apprentissage mimétique du code, devient un « enfant sans qualités ». Le refus du sensible, de la créativité enfantine, par les éducateurs trop zélés, le met en exil de lui-même : l'enfant déserte sa présence au monde, il renonce à sa liberté de pensée et se conforme aux normes imposées. La vie l'abandonne. Cette absence à soi-même, cet « éloignement de soi » le conduit souvent à se réfugier dans une identité d'emprunt, dans une carrière tracée d'avance ou dans une recherche de contact corporel, à défaut et en remplacement du contact subtil par la parole.

Angelina se sent fréquemment gênée. Elle rougit à l'idée que les autres pourraient ne pas la croire. « J'ai honte, je transpire, je tremble, je bégaie ; j'en perds tous mes moyens. » Elle se souvient que sa parole avait souvent été mise en doute, y compris par sa mère : « Elle ne me faisait pas confiance [...] ma mère avait tellement peur du qu'en-dira-t-on ! » À dix-sept ans, de retour d'un séjour à Paris, Angelina assure à sa mère, qui la questionne lourdement, qu'elle n'a pas rencontré de jeune homme et n'a pas eu de relations sexuelles. Sa mère ne la croit pas : elle est persuadée du contraire, prétend qu'Angelina est enceinte et l'emmène, sans l'en informer, chez le gynécologue. La visite imprévue humilie beaucoup l'adolescente exposée, mise à nu dans son intimité. Bien sûr, le gynécologue a confirmé les dires d'Angelina, mais la jeune fille est restée profondément marquée par la méfiance de sa mère.

Cet exemple de traumatisme, la défiance de sa mère par « peur du qu'en-dira-t-on », est source d'humiliation pour Angelina. La jeune fille, livrée à la honte, se sent abandonnée. Pour tout enfant, les situations d'injustice ponctuées de déclarations impératives du type

«Tu devrais avoir honte» provoquent une grande confusion. Il finit par ne plus comprendre ce qui lui arrive. La honte devient un corps étranger introduit dans son for intérieur.

L'enfant consolateur

> « Les enfants sont obligés d'aplanir toutes sortes de conflits familiaux, et portent, sur leurs frêles épaules, le fardeau de tous les autres membres de la famille. [...]
> Une mère qui se plaint continuellement de ses souffrances peut transformer son enfant en aide-soignante, c'est-à-dire en faire un véritable substitut maternel, sans tenir compte des intérêts propres de l'enfant. »
>
> Sándor Ferenczi, *Confusion de langues entre les adultes et l'enfant*

L'enfant pilier du parent abandonné

Comme nous l'avons vu dans la première partie, le sentiment d'inexistence fait affluer les angoisses. Il devient ardu de sortir de la spirale descendante : l'enfant abandonné devient souvent un adulte qui s'abandonne lui-même, à la tristesse, à l'angoisse, à la dépendance, à la dépression… Quelquefois volontairement, quelquefois sans vraiment s'en apercevoir… Le spectre des situations d'abandon d'autrefois se retrouve dans les différentes façons qu'a l'adulte d'accueillir, d'élever et de reconnaître son propre enfant. Il arrive alors que l'enfant soit chargé du poids des soucis d'un de ses parents (ou de leur relation de couple). L'enfant passe plus de temps à comprendre le parent en souffrance, ou la relation défectueuse de ses parents, qu'à mener sa propre existence et faire les expériences personnelles qui lui permettraient de grandir et de se constituer en tant que personne distincte. Ce rôle infligé est handicapant pour l'enfant. Il perdure à l'âge adulte tant qu'il n'a pas été repéré.

Fabio vient de fêter ses trente-deux ans. Comme William, il est le jeune père très « fusionnel » d'un petit garçon. Il m'écrit pour me faire part d'un rêve très important pour lui, que nous prenons le temps d'élucider ensemble lors de la séance suivante. « Je voyage en Suisse pour emmener mon fils Gianni. Je me retrouve à la campagne, attablé avec la famille de mon ex-femme, Lidia. Gianni joue sur le bord d'une route, dans l'herbe. Je suis en train de me quereller avec la mère de Lidia. Alors que je suis complètement absorbé par la dispute et la colère, une voiture s'approche au loin. Gianni est sur la route. Je crie pour qu'il se pousse. Finalement, la voiture tourne avant d'arriver vers nous. Je regagne la table de la famille de Lidia et je reprends la dispute. Je sens que Gianni est triste, très triste et seul. Je ne le vois plus, il a fui les préoccupations des grands. Puis, soudain, en même temps que je me réveille doucement, en croyant avoir fait une nouvelle fois un cauchemar, je réalise que le petit garçon, c'est moi : je suis cet enfant triste. Je revois le regard triste que j'avais sur les photographies de l'école. Je comprends que le grand, celui que je pensais être, c'est mon père, mon papa. J'ouvre les yeux sans bouger. Je suis allongé sur le dos et je fais un signe de la main, exactement le même signe que mon père a fait pour me saluer quand il est parti... Je comprends mieux maintenant à quel point j'ai été un enfant seul et combien je me suis senti abandonné quand mon père est mort. »

Le fait de devenir parent et d'être soi-même confronté à des difficultés relationnelles avec son enfant peut permettre de se rendre compte du rôle joué, enfant, auprès de ses parents. Fabio a perdu son père lorsqu'il était adolescent. D'une certaine façon, il a cru mourir lorsque son père est décédé : « Une partie de moi est morte ce jour-là. » Fabio a attendu presque vingt ans pour raconter la mort de son père et cet adieu sobre d'un homme qui parlait très peu. Trop peu pour l'enfant qu'il était. L'absence d'implication et de paroles de son père ne serait-elle pas la première forme d'abandon que Fabio a vécue enfant ? Aussi, devenu adulte, il a voulu « compenser » ce manque en « couvant » son petit garçon, au risque de l'étouffer, de l'écraser comme la voiture du rêve. Pourtant, comme nous l'avons déjà évoqué avec l'exemple de William et de son fils (voir « Fusion et confusion », p. 67), couver son enfant ne signifie pas être en relation avec lui et l'aider à grandir : tout au contraire…. Gianni est devenu, à son insu, le « pilier » de son père endeuillé, il a endossé malgré lui le rôle de l'enfant consolateur de son parent attristé, peu disponible pour lui en tant que père.

Fabio a beaucoup de réticences à faire l'apprentissage de la séparation. Il renâcle à lâcher son fils, à séparer les espaces intimes de l'adulte et de l'enfant, à le laisser vivre et aller son chemin, à se recentrer, lui, sur des préoccupations d'adulte. L'ombre de l'absence de son père, et de sa mort prématurée, est encore très présente. Fabio a l'impression de faire deux deuils à la fois, celui de son père réel mort et celui de l'enfant consolateur, qui n'est en fait qu'un mirage.

L'enfant infirmier

Le psychanalyste américain Harold Searles[1] a consacré une partie de ses écrits à expliciter de quelle façon l'enfant peut éprouver la nécessité vitale de « devenir le thérapeute de ses parents », voire de sa

---

1. Proche de l'école hongroise de psychanalyse, relayée en Grande-Bretagne par Michael Balint et Donald W. Winnicott, en France par Nicolas Abraham et Maria Torok, Searles a tenté d'expliciter de l'intérieur les méandres de la folie. Les lecteurs intéressés peuvent se reporter à Harold Searles, *L'Effort pour rendre l'autre fou*, Gallimard, 1977, ou à *Mon expérience des états limites*, Gallimard, 1994.

famille, lors de situations particulièrement difficiles ou de contextes quotidiens peu propices au déploiement de la vie. Par besoin autant que par amour, beaucoup d'enfants essayent de protéger ou de prendre soin de leurs parents. Le projet plus ou moins conscient de l'enfant est d'alléger les souffrances de ses parents défaillants et, si possible, de les soigner, pour les rendre plus disponibles à la vie et à leurs proches. S'il en attend parfois de la gratitude, et une plus grande attention en retour, il convient de ne pas oublier le formidable goût pour la vie dont témoigne tout enfant, ainsi que sa propension naturelle à la compassion.

Les enfants les plus débrouillards, ou les plus sensibles, cherchent une façon de prendre part à ce qui leur arrive. Certains enfants, très lucides, sont capables de comprendre finement une situation familiale compliquée, y compris lors de séparation ou de divorce. Lorsqu'ils rencontrent un environnement suffisamment favorable, ils peuvent exprimer leur intention d'adoucir, d'aider, de soulager, de trouver une issue. Les échanges avec les adultes permettent à la situation d'évoluer peu à peu, pour chacun. Dans le cas contraire, ils mettent en œuvre cette intention, de toutes leurs forces enfantines, mais comme à tâtons, dans le noir : sans aide, sans retour, sans reconnaissance. Ils essayent d'agir sur leur environnement, faute de pouvoir vivre leur vie en propre…

Amalia a employé une grande partie de son enfance et de son adolescence à apaiser sa grand-mère adoptive, très nerveuse, de même que Sandrine a passé toutes ses premières années à tenter de soigner sa mère dépressive. Quel temps, quelle énergie leur restait-il pour s'occuper d'elles-mêmes, de leur devenir ?

Montserrat est la fille dévouée et serviable d'une mère abandonnée par son mari : devenue adulte, chaque fois qu'elle tombe amoureuse, elle « choisit » des hommes qu'elle sert, qu'elle soigne, et qui l'abandonnent…

La mère d'Olga a été abandonnée par sa propre mère (la grand-mère de ma patiente). Par le biais de la symbiose, la mère a demandé à sa fille Olga de jouer auprès d'elle le rôle de la « maman nounou » : elle la parasitait, l'empêchait d'aller son chemin et de s'épanouir selon sa croissance propre. Au moment de sa maladie (aujourd'hui guérie), la mère entraînait sa fille avec elle vers la mort, ce qui lui était d'autant plus facile qu'elle cherchait sans cesse à avoir une relation de « copine » avec elle.

> Olga raconte que, lorsque sa mère a souffert d'un cancer du sein et que le traitement lui a fait « perdre ses cheveux et ses formes féminines », elle-même, en miroir avec sa mère, jumelée, fusionnée, s'est fait couper les cheveux très court et ne mangeait presque plus : elle a « maigri et perdu ses formes féminines ».

Olga s'est sentie abandonnée quand sa mère est tombée gravement malade. Le moment du choc, dû au vécu d'abandon, crée un désastre intérieur ; la déflagration engendre un vide intérieur. Se sentant creux, l'enfant abandonné a souvent recours à un mécanisme de reconstitution très puissant : il se met en miroir avec l'adulte dont il est le plus proche. Il calque ses pensées, ses paroles, ses actes. C'est cette stratégie de survie en miroir qu'Olga a longtemps pratiquée.

Il manque des informations à l'enfant qui a été l'« infirmier » de ses parents pour qu'il parvienne à se figurer l'autre : entier, existant, vivant, ou tout simplement présent, en lien, en relation avec lui. Parfois, pour se protéger, l'enfant en vient à se détourner du parent « absent ».

Sandrine se rend compte qu'elle « peste » contre sa mère au quotidien. « Je la trouve défaitiste, sans volonté ; capricieuse même. Elle était tout le temps dépressive, elle a souvent séjourné dans des hôpitaux psychiatriques. Bien souvent, sa maladie a été un rempart pour ne pas s'impliquer, pour rester inactive, à l'abri d'elle-même. Il y a sans doute des choses que je ne sais pas. Elle-même a eu une enfance difficile, loin de sa mère. Elle n'est retournée chez ses parents qu'à l'âge de quinze ans. Avant, elle avait vécu avec un oncle et une tante qui l'ont malmenée. En vous disant cela, j'ai envie de l'excuser. En même temps, je lui en veux d'avoir été aussi inactive et absente dans notre vie, notre éducation. Elle ne nous a rien transmis alors qu'elle aurait pu le faire, mais elle n'a jamais pris le temps, car son temps était voué à sa maladie... J'en ai voulu à ma mère d'avoir fait peser sur ses filles l'abandon qu'elle a vécu, elle. Nous n'y sommes pour rien, et pourtant, c'est comme si elle nous l'avait fait "payer". J'ai mis longtemps à me libérer de ses angoisses. Lorsque j'étais petite, je me sentais envahie par de soudains accès de panique sans savoir d'où ils venaient. Le plus souvent, ils ne me concernaient pas, c'étaient les angoisses de ma mère. »

Le phénomène dépasse alors celui de l'adulte malade ou rejetant soigné par l'enfant « thérapeute ». Il s'agit surtout d'une défaillance de la relation des parents avec leur enfant : ils ne lui ont pas transmis les repères humains (sensibles, intellectuels et éthiques)

qui lui permettraient de percevoir puis de penser la situation existentielle dans laquelle ils se trouvent, eux, et à laquelle ils le font
participer malgré lui.

En lien avec ses accès de boulimie, Sandrine se souvient de son ennui
durant les « cérémonies des repas » chez sa mère : au bout d'un moment,
elle rêvassait, elle s'absentait, elle ne pensait plus, ne parlait plus... Au cours
de la séance suivante, Sandrine me dit : « Le malheur nourrit ma mère, elle
se délecte de tous les faits divers les plus sordides ! »

Sandrine, laissée à l'abandon, seule avec ses sensations d'enfant, sans
recours possible à la parole pour exprimer ce qu'elle ressent, a besoin
de se nourrir d'autre chose que du malheur de sa mère...

Le père de Renée, médecin uniquement dévoué à sa profession et à ses
malades, ne s'est pas du tout intéressé à sa fille, malgré tout le soin qu'elle
prenait à être une « fille idéale et parfaite », pour correspondre à ce qu'elle
supposait de ses attentes. Aujourd'hui adulte, Renée consacre son temps à
s'occuper des autres, quitte à sacrifier son existence, et court fébrilement
d'un médecin à un autre, cherchant inconsciemment le « père » qui voudra
enfin l'adopter !

L'enfant utilisé, poupée sans vie propre, est parfois aussi un enfant
abusé... Il devient facile d'exploiter cet enfant considéré comme
une chose et d'en tirer profit à des fins de jouissance sexuelle.

L'enfant maltraité ou abusé

10

> « *Le pire n'est pas la mort, c'est la haine et la violence. De toutes mes forces j'essaie d'écarter de moi des visages de cauchemar. Nous n'avions pas le droit de regarder en face les SS, mais quand l'un d'eux s'acharnait sur une malheureuse à côté de nous, impossible d'éviter la vision de leur affreuse jouissance.* »
>
> Geneviève Anthonioz de Gaulle, *La Traversée de la nuit*[1]

C'est exactement, parfois mot pour mot, ce que disent les patientes et les patients qui ont été abusés, brutalisés ou torturés lorsqu'ils étaient enfants ou adolescents. Cette expérience de l'horreur, difficile à admettre tant elle est incroyable et inimaginable, correspond pourtant au réel dans toute sa crudité et son atrocité, réel dont témoignent tous les rescapés des camps, ainsi que tous les enfants violés ou gravement violentés.

---

1. Geneviève Anthonioz de Gaulle, *La Traversée de la nuit*, Seuil, 1998. Voir également Yehiel De-Nur, *Les Visions d'un rescapé*, Hachette, 1990.

La mémoire de la profanation

Ces phénomènes de maltraitance caractérisés dénoncent un abandon radical. Que l'enfant ait quelques années ou que l'adulte soit d'un âge avancé, pour tous ceux que j'accueille et écoute, il est particulièrement pénible d'aborder la mémoire tragique de la profanation endurée. Leurs témoignages donnent à entendre des formulations imagées qui signifient, incontestablement, le meurtre et la malédiction : « Il a détruit ma vie », « Elle a volé mon enfance », « Je suis morte à l'intérieur », « Je ne vis plus depuis ce jour », « Je me sens irréel », « Je suis de glace », « Je suis devenue une pierre », « Je suis sale, j'ai l'impression de sentir tout le temps mauvais », etc.

Ce sont souvent des attitudes curieuses ou étonnantes qui les amènent à retrouver les souvenirs douloureux par des voies détournées[1] : un de mes patients ne supportait pas les cris des nourrissons ; un autre ne pouvait pas laisser un enfant monter sur ses genoux ; un autre encore suait d'angoisse toutes les nuits ; une de mes patientes se sentait déshabillée par le regard des hommes ; une autre avait terriblement peur que sa fille soit violée ; une autre encore se considérait comme une prostituée et s'interdisait toute vie sexuelle, etc. Pourtant, aucune d'elles, aucun d'eux ne pouvait parler de ce qui leur était arrivé. La plupart l'avaient rangé *hors d'eux* pour ne plus y penser, se coupant de toute sensation susceptible de les y ramener. Celles ou ceux qui s'en souvenaient confusément éprouvaient une

---

1. Nicolas Abraham, Maria Torok, *Le Verbier de l'homme aux loups*, Aubier-Flammarion, 1976.

telle honte qu'ils évitaient d'en parler. Ce sont souvent les cauchemars et les rêves traumatiques qui permettent de s'approcher du souvenir de la catastrophe.

Andreas raconte : « J'ai rêvé d'un enfant sans prénom jusqu'à trois ans. Cet enfant, c'est moi. Je me vois, nu, avec une dame, dans une pièce. La dame est ma mère. Je voudrais que l'on coupe les branches qui m'étouffent : les bras de ma mère. J'aurais préféré être capable de les couper moi-même rapidement. Je prends la dame en photo et moi aussi. Mon visage apparaît, mais pas celui du bébé ; c'est celui de l'adulte, avec une tête déformée en diable. La dame est gênée par les photos. Je crie : "Papa ! Papa !", mais il ne vient pas. La dame s'ennuie, je suis trop petit pour la satisfaire, elle attend son mari, le sexe de son mari. Il ne vient pas. Le père n'a pas de patience, il n'est pas disponible. Il reste assis sur le canapé à regarder la télé. Je vais le voir. Il me dit : "Fous-moi la paix." Mon père ne s'intéressait pas à moi. Il était occupé par son travail, devant la télévision, ou à mettre de l'ordre dans la famille à coups de beignes. »

Andreas a eu besoin de beaucoup de temps pour exprimer, peu à peu, l'inceste qu'il a subi.

Depuis plusieurs semaines, Chiara me prévient qu'elle a « quelque chose d'important à me dire ». Par une suite de souvenirs, elle pourra me révéler son secret. « Je suis en CP, j'ai très peur. Je suis née à la fin de l'année, je suis la seule de la classe à avoir encore six ans. Cette différence me laisse derrière, à la traîne. La maîtresse est une femme ronde, très maquillée. Elle a des principes très arrêtés sur la discipline. Un jour, elle fesse, cul nu et devant toute la classe, un élève qui lui a répondu. » Chiara s'arrête de parler, soudain « prise de nausées »...

La séance qui suit, Chiara reprend son récit. « Je fais du patin à roulettes, l'élastique de ma culotte est usé et elle ne tient plus très bien. Comme je patine vigoureusement, ma culotte descend. Elle doit dépasser de ma jupe car ma mère l'aperçoit. Elle est sur le balcon et me fait remonter à la maison fissa. Je suis condamnée à me mettre en pyjama et à me coucher sans dîner. Ce n'est même pas l'heure du goûter. Je suis accusée d'avoir délibérément baissé ma culotte, par provocation. Je ne peux rien expliquer, elle ne me croit pas. »

Ce souvenir va déboucher sur le récit d'un viol, lorsque Chiara avait le même âge (six ans environ), dans une forêt où elle allait jouer, seule ou avec son petit fiancé de l'époque. Après la tragédie, les parents de Chiara ne l'ont pas consolée, ils n'ont pas porté plainte, ils lui ont simplement défendu d'aller jouer en dehors de la résidence.

Tuer l'autre, tuer la vie

Certains éducateurs ou parents tirent profit du pouvoir dont ils disposent sur l'enfant dépendant pour en abuser : soit afin de l'influencer dans sa façon de penser ou de vivre, soit afin d'en jouir comme d'une chose. Le mouvement de la vie est arrêté, une existence artificielle de survie est alors mise en place par l'enfant[1], puis par l'adulte, souvent avec des signes évidents de malaise : délinquance, échec scolaire, maladies répétées, mutisme, violences, sexualité désaffectée et répétitive, etc. Les abus, quels qu'ils soient, et ils sont

---

1. Philippe Réfabert, *De Freud à Kafka*, Calmann-Lévy, 2001.

nombreux – des plus visibles aux plus invisibles[1] –, laissent des marques profondes chez tout enfant qui les a subis. L'enfant perd confiance dans l'adulte profanateur, mais aussi, de façon plus générale, dans le monde des adultes. Il s'en protège soit en s'exilant dans un monde imaginaire, soit en se rebellant, soit – ce qui est la pire des solutions – en choisissant d'imiter les profanateurs pour prendre leur place plus tard, et faire comme eux – ou pire qu'eux – sur d'autres plus faibles que lui. « C'est une constatation banale qu'un enfant abusé sexuellement par un adulte ne s'en plaint pas, le plus souvent. D'autant plus que l'acte a été commis par quelqu'un de plus proche de lui, à commencer par un membre de sa propre famille[2] », précise Serge Tisseron.

L'enfant abusé est médusé : il est assommé, plongé sous hypnose. Sa capacité de penser s'évanouit, parfois durablement. Il ne parvient plus à prendre de distance et se met à confondre le beau avec le laid, le bien avec le mal, le juste avec l'injuste, le vrai avec le faux[3]. Il perd sa capacité de discernement. Il ne sait plus distinguer ce qui est humain de ce qui ne l'est pas. Il redoute d'avoir été contaminé et d'être devenu comme son violenteur.

---

1. Par exemple, la flatterie ironique, le dénigrement insidieux et répétitif, la dévalorisation accompagnée d'une fausse douceur : « Qu'est-ce que tu peux être stupide, ma pauvre chérie ! »
2. Serge Tisseron, *La Honte – Psychanalyse d'un lien social*, Dunod, 1992.
3. Toutes les formes de perversions (intellectuelles, morales, physiques, psychiques, sexuelles) s'appuient sur des mécanismes d'inversion, d'autant plus efficaces qu'ils sont camouflés et raffinés.

Le viol – comme la pornographie qui le met en scène – brise les repères concernant l'amour. Il fait table rase des sentiments et remplace la possibilité de leur émergence par le sexe anonyme, brut et sans relation, sans rencontre. Tous les repères volent soudainement en éclats, l'enfant victime est propulsé dans une sexualité d'adulte sans le vouloir, sans l'avoir souhaité ou cherché, sans même avoir pu le refuser à temps. Il se sent profondément abandonné, y compris de la part de ceux qui ne sont pas intervenus pour empêcher la catastrophe et éviter le pire. Pour l'enfant victime d'inceste, ce sont ceux-là mêmes qui auraient dû le protéger qui l'assaillent et abusent de lui : ses parents. L'enfant craint de « dire du mal » de ces personnes de son entourage proche, que souvent il vénérait auparavant. Il redoute les représailles des adultes qui l'environnent, qui préfèrent se taire ou ne pas croire la victime.

Lorsque Philippe est rentré tard un soir, après avoir été séquestré et violé par des adolescents désœuvrés, son père l'a frappé. À douze ans, Montserrat a été violée, sa mère l'a traitée de « pute »… Les réactions de ce genre sont légion. Cette forme d'abandon, plus fréquente qu'on ne le croit, redouble la violence du cataclysme et laisse l'enfant pétrifié, sans voix.

La crise d'épilepsie est alors une des extériorisations les plus spectaculaires de la mise à mort d'un enfant par son profanateur. Pour décrire les crises du « haut mal[1] », cette « invasion colossale par la peur », certains parlent de « cauchemar vivant », d'autres d'un

_____

1. C'est ainsi que l'on nommait autrefois l'épilepsie.

« danger venant de toutes parts ». La crise d'épilepsie manifeste l'abandon radical de l'enfant maltraité...

> Renée raconte une de ses crises : « Mon regard incessant partait à toute allure à droite et à gauche, sans pouvoir s'arrêter. Je sentais mon corps secoué par des convulsions, puis une immense chute dans le vide. Un trou noir... Je m'étais évanouie. » Tels des archéologues, nous essayons d'explorer les bizarreries du rapport avec son père. Nous comprenons progressivement qu'il est tissé de deux phénomènes, la séduction et la terreur. « Face à lui, je me sentais paralysée, comme une poupée molle. » Renée se souvient d'un jour où elle était en pleurs : son père, ne voulant pas l'entendre pleurer, lui a donné une gifle « à dévisser la tête ».

Au fond de ces femmes qui, comme Renée, ont été victimes de brutalités ou de viols, persiste la croyance que « tout homme est dangereux ».

Une prison intérieure

Toutes et tous se sentent douloureusement prisonniers de la tragédie qu'ils ont vécue.

> Chiara continue courageusement son investigation. « J'ai énormément écrit ces derniers jours. J'ai pris conscience du systématisme de la façon d'agir de ma mère avec moi. Cette façon qu'elle a eue de me remettre la tête sous l'eau dès que je commençais à aller bien, que ma vie prenait un tour plus heureux. Quand j'étais enfant, mes parents ne s'intéressaient pas du tout à ce que je faisais. Jusqu'à ce viol dans les bois. Après quoi j'ai été enfermée dans un périmètre très précis. Je me suis retrouvée coincée dans le jardin

avec des autorisations de sortie au compte-gouttes, avec des filles – jamais de garçons – triées sur le volet. J'étais interdite de cinéma, de boums bien sûr, habillée en jupe plissée bleu marine et chaussettes blanches. Quelle prison ! Lorsque j'ai commencé à avoir de la poitrine, je devais porter des soutiens-gorge qui me comprimaient les seins. Si je ne les portais pas, j'étais accusée d'appeler au viol tous les garçons que je croisais. Quand j'ai eu mes règles, ma mère ne m'a rien expliqué. Elle passait juste son temps à m'engueuler à cause de mes culottes tachées de sang. Elle m'a alors acheté une culotte bouffante en plastique. »

Si la catastrophe et ses conséquences sont particulièrement déstructurantes, ses effets se font sentir bien au-delà. Comme une tragédie grecque, l'existence paraît étrangement enfermée dans un cycle de répétitions inexorables…

Lors d'un voyage en Turquie, l'été de ses quatorze ans, tout bascula de nouveau pour Chiara. « Sur le bateau qui traversait la Méditerranée, un soir, avant d'aller nous coucher, nous avons fait une petite promenade, mes parents et moi, sur le pont. Un groupe de jeunes marins nous abordent. L'un d'eux me parle. Tout à coup mes parents vont se coucher, ils me laissent là, toute seule, si jeune, trop "bonne pioche" pour ces jeunes en mal d'aventures féminines… Malgré moi, je me laisse entraîner dans une cabine. Ce fut nul et brutal, sans tendresse, avec un homme de dix ans plus âgé que moi qui n'avait pas compris que c'était la première fois… Le lendemain, personne ne parla de rien. Surtout pas ma mère, qui ne m'a demandé aucun compte, contrairement à ses affreuses habitudes de vouloir tout contrôler. […] La suite des vacances fut atroce, elle n'a pas cessé de me tourmenter et d'être avec moi aussi odieuse que possible. » Chiara comprend que ce qui lui est de nouveau arrivé est le reflet des façons d'agir de sa mère avec elle : « Elle me privait de tout puis me laissait la liberté la plus totale, qui n'était qu'un désintérêt, un défaut de protection souvent, voire une façon de me lancer vers ma propre perte. »

Comme nous pouvons le constater, dans de très nombreuses situations, l'enfant délaissé, rejeté ou maltraité est *abandonné répétitivement*. Curieusement, le « sort » semble « s'acharner » contre lui. Bien entendu, cette sombre répétition n'est pas le fruit du hasard, mais de la place et du rôle que l'enfant occupe dans sa famille, de la façon dont ses parents le considèrent et le donnent à voir aux autres, à commencer par ses frères et sœurs.

Quel avenir se réserve l'enfant ou l'adolescent abandonné ? Une répétition à l'infini de ses blessures, des mêmes déboires, donc des mêmes plaintes et revendications ? Au contraire, un changement de perspective, malgré toute la douleur des drames du passé ? Une transformation de son existence vers un futur libéré du poids de la fatalité ?

Tel est l'enjeu crucial pour toute personne ayant vécu un abandon, car le *choix* existe vraiment. Il suffit de s'en laisser convaincre et de saisir sa chance…

TROISIÈME PARTIE

Se libérer du passé pour exister par soi-même

« La seule position possible est de poser question après question. […]
Le texte est écrit délibérément par un poète, non pour emprisonner
un sens mais pour ouvrir un mystère brûlant. »

Peter Brook, *Avec Shakespeare*

Être accompagné et entendu

11

> « Chaque fois qu'un être humain parle à un autre d'une façon
> authentique et pleine... il se passe quelque chose qui
> change la nature des deux êtres en présence. »
>
> Jacques Lacan, *Les Écrits techniques de Freud*

Émerger du repli

Sommes-nous vraiment inconsolables ? Inconsolés, oui ; souvent, très souvent. Cependant, l'expérience vient conforter l'intuition selon laquelle toute peine peut être réconfortée, pour peu que nous acceptions d'*exprimer* – c'est-à-dire de sortir de nous – ce qui brûle, ce qui meurtrit, ce qui pèse. Nous pouvons guérir de nos blessures, oui, à condition que nous lâchions prise, qu'au-delà des bienséances, des idées reçues, des lieux communs, nous disions le fond véridique de notre être.

La seule réponse humaine à la détresse est l'accueil. Écouter, entendre, prendre la mesure de la douleur, percevoir le désespoir de l'autre sans le minimiser, compatir… Cette occasion d'accueil est rare, elle ne se présente pas facilement. Même lorsqu'elle se présente, les mécanismes de dévalorisation de soi et de *retrait du monde* peuvent perdurer longtemps… Du temps est nécessaire au petit enfant pour être rassuré et – dans le meilleur des cas – pour comprendre que le parent qui est parti va pouvoir, lui aussi, s'occuper de lui et soutenir sa croissance. Du temps est nécessaire pour ne plus se regarder avec les lunettes du consensus, pour ne plus se juger selon les critères les plus admis du groupe de référence ou de la société.

En séance, Véronique soupire. « C'est dur, oui… Je souhaiterais tellement ne pas vous emmener dans mes désespoirs…

— *Vous êtes en train de faire l'expérience du souci de l'autre, de gagner en délicatesse.*

— C'est vous qui le dites… Si cela pouvait être vrai ! Tout de même, je sens bien que je suis pénible avec vous.

— *Il est important que j'aille avec vous dans vos abîmes, pour mieux vous aider à les comprendre.* »

La citation de Peter Brook que nous avons choisi de faire figurer en épigraphe à cette troisième partie est une bonne définition du métier de psychanalyste. Interroger inlassablement, questionner l'autre sur ses ressentis, son expérience sensible vécue, ses perceptions, ses intentions, sa disposition intérieure, ses doutes, ses rêves, ses vœux… « Poser question après question », pour libérer le sens profond, sous-jacent à chaque situation, et « ouvrir le mystère brûlant » de chaque personne, dans son unicité.

Il existe de très nombreuses formes de thérapies pour comprendre les schémas répétitifs, souvent inconscients, qui nous enferment et rétrécissent nos existences. Chaque personne choisit le type de soin qui lui correspond le mieux, à tel moment de sa vie. La coopération entre l'adulte souffrant d'un sentiment d'abandon et son thérapeute permet d'aller vers l'ombre, pour l'explorer et l'exprimer, en prenant le temps du dialogue. Elle crée un espace de liberté et d'intelligence : pour sentir, penser, parler, et se libérer.

La parole échangée sur les souffrances vécues permet de trouver une issue favorable aux impasses liées à l'effondrement intérieur et à la perte de toute forme d'élan.

> Comme beaucoup d'autres, Montserrat est allée « y voir de plus près ». Cela n'a pas été facile. Longtemps, Montserrat aurait préféré trouver un « remède miracle » plutôt que de « chercher ce qui cloche » en elle.

Lorsqu'elle a pris cette décision, Montserrat a vécu de nombreuses nuits d'angoisse et sanglotait des séances entières. De même, Maria ne voulait plus venir à ses rendez-vous, les annulant au dernier moment. Philippe résistait de toute la force de ses nerfs, se tendait comme un arc et piquait des colères contre son psychanalyste. Fabio a provoqué son propre licenciement. Sandrine est tombée sérieusement malade. William a eu un accident de voiture, heureusement sans conséquences. Cristina a déprimé et ne voulait plus sortir de son lit. Marc a retrouvé l'abîme du bébé délaissé par sa mère : ses douleurs étaient telles qu'il pensait qu'il allait mourir…

Quand une personne décide d'explorer ses souffrances, elle sombre dans le gouffre du vide de son enfance et reprend contact, parfois brutalement, avec l'angoisse du néant, le désespoir du non-désir, le dégoût de la vie, la honte de soi.

Lorsqu'il a pu se sentir assez fort pour sortir du repli, Christophe a retrouvé sa détresse de tout-petit : « Je me sens glacé, bleui, déjà partant vers la mort aveugle, sourde, muette. Comment revient-on de l'enfer du silence écrasant qui étouffe la conscience ? Je n'ai plus la force de crier au secours et d'appeler à l'aide... »

Philippe ne sait plus trop où il en est : « Le doute s'est installé à force de buter contre le mur... Si je n'étais pas prêt à enfin aborder les thèmes fondamentaux de mon histoire ? »

Le processus de guérison est une mutation profonde. Il requiert toutes les ressources vives de la personne, son courage, sa persévérance et sa confiance en l'allié thérapeutique qui l'accompagne. Il désigne ce chemin à parcourir pour aller de la honte à la fierté.

Exprimer ses manques, dire ses tristesses

Il est vital de nommer la réalité dans toute sa complexité : *seule la vérité permet de grandir et de guérir.* Il s'agit de regarder en face son existence, de s'interroger sur soi-même et de prendre le temps de réfléchir : même s'il peut sembler plus facile d'avaler une molécule ; même si exprimer ses fragilités n'est pas à la mode, à une époque où le positivisme forcené est souvent de rigueur ; même si, dans notre culture, la mort est très fréquemment passée sous silence.

De l'italien *manco* (lui-même dérivé de l'adjectif latin *mancus*), le manque signifie « défection », « insuffisance », « privation ». Il désigne le vide causé par l'absence durable d'une personne chère. Le manque qui s'installe fragilise le sentiment d'exister. L'individu traverse l'épreuve douloureuse de son impuissance. La confrontation désagréable à la privation met l'être dans un mouvement de curiosité : aller vers autrui. Se reconnaître manquant, insuffisant, incomplet, c'est accepter la non-possession et l'ouverture à l'aspiration, à l'élan vers l'autre.

> Lorsqu'elle a eu sept ans, Cecilia a vu sa grande sœur partir en pension. Sa famille ne favorisait pas les échanges de paroles authentiques sur les émotions et les sentiments. Cecilia n'a pas pu suffisamment parler de cette perte et du manque qu'elle a ressenti. Elle n'a pas dit la douleur de l'abandon qu'elle a vécu. Pour s'en protéger et l'occulter, elle a idéalisé la relation avec sa grande sœur. Les années passent, Cecilia continue à se sentir délaissée… et à ne pas en parler !

Lorsque le manque est dit, il peut se transformer en une *demande*. Le manque est conscience d'un « espace vide », d'une place nécessaire à trouver, afin de se sentir exister et existant. Par l'épreuve du manque reconnu et exprimé, l'être peut se représenter ce qui est absent, et ainsi créer une présence à venir. Il entre dans un registre plus élevé, plus subtil… plus essentiel.

> Amalia a passé tant d'années à ne plus rien exprimer de personnel, à tout garder pour elle, « enfermé dans une petit boîte ». Elle peut enfin expulser sa révolte, cracher sa rage. Elle entame sa « descente initiatique » dans son

passé dévasté. « J'ai toujours été seule. "Seule", ce mot me donne envie de pleurer, de hurler. J'ai peur, j'ai froid, il n'y a personne pour moi et je suis toute petite, perdue, sans père ni mère. Je suis submergée par ce goût de mort dans la bouche, j'ai envie de me noyer... Le viol. L'horreur. »

Amalia traverse les marécages brumeux et sombres de l'enfer. « Après le viol, je me suis sentie souillée. Je n'avais plus de désir, sauf de mourir, de disparaître. Beaucoup plus tard, j'ai éprouvé le besoin d'en parler à mon futur mari. Il m'a écoutée sans rien dire. Cette conversation n'a pas duré plus de cinq minutes. Quelques mois après notre mariage, j'ai de nouveau voulu en parler et mon mari m'a répondu : "On la connaît, ton histoire, tu ne vas pas *encore* en parler." De nouveau, je devais me taire. Je ne pouvais pas parler. J'aurais dû réagir ; au lieu de cela je me suis renfermée, comme dans mon enfance. Hier, ils ne m'entendaient pas et aujourd'hui vous m'écoutez. Même si c'est naturel, si je l'espérais, je ne m'attendais pas à être entendue. Si l'émotion est tellement forte, c'est qu'en vous parlant je découvre la vérité. L'étendue du gâchis de ma vie. Comme quelqu'un venu constater les dégâts après une forte tempête et qui voit sa maison en ruine. Pendant tout ce temps, *je pensais que ce n'était pas possible, que c'était un cauchemar et, d'un seul coup, j'ai constaté que c'était la vérité.* Je connaissais la vérité par morceaux, mais je n'avais jamais voulu voir l'ensemble. Cela me paraissait insupportable. »

Amalia parle de la perte et du manque. « Je manque de bras qui m'enlacent, de présence, de partage. J'ai l'impression que j'ai fait semblant toute ma vie et qu'à présent ce n'est plus possible. »

Accepter de parler de ses manques permet de retrouver ses élans intérieurs pour vivre autre chose, autrement, sans rester fixé à l'impossible ou au passé.

© Groupe Eyrolles

Repérer les carences d'humanisation

Lorsque la communication familiale est suffisamment facile et sincère, les uns et les autres peuvent partager les expériences vécues grâce à des échanges de paroles vraies, qui donnent du sens aux faits et gestes du quotidien.

Cette qualité de parole est « humanisante » : elle favorise le mouvement profond du devenir humain. Échangée dans une relation à parité, elle rend possible la reconnaissance de chaque personne, distinctement. L'être se sent accueilli dans son identité d'humain et l'élan de son désir[1]. La parole sincère assure une distance féconde : l'autre existe ; il n'est pas soi. Il y a rencontre, sans emprise, sans mélange, sans confusion.

Cette configuration souhaitable, comme nous l'avons vu, n'est pas forcément au rendez-vous.

> William a longtemps eu peur d'être délaissé. Il n'arrivait même pas à dire qu'il allait bien : il n'avait pas la notion de ce que c'est, d'aller bien. Aucun point de comparaison, aucun repère ne l'aidait à évaluer les qualités de son existence. Peu à peu, William a pu retrouver l'angoisse qui tenaillait ses parents lorsqu'il était tout petit. Bébé, il a été isolé trop longtemps, privé de contacts humains et de paroles accompagnant les gestes des soins. Pour combler tant bien que mal ces carences, William s'était inventé une explication au désordre du monde. Cette explication était devenue sa

---

1. Pour trouver une définition du désir, qui n'est ni la pulsion, ni le fantasme, ni même la convoitise, se reporter aux précédents ouvrages de l'auteur, plus particulièrement *Le Surmoi*, *op. cit.*

croyance sur l'existence, une idéologie qui ne correspondait plus en rien à la réalité d'aujourd'hui et qui le tenait prisonnier d'une conception erronée de sa place auprès des autres.

Comment se situer et agir face à nos carences[1] ? Les découvertes que font les personnes accompagnées leur permettent de trouver pour elles-mêmes des issues à leurs impasses et des solutions à leurs déboires.

Petit à petit, Cristina repère les abandons dont elle a souffert enfant. Ses découvertes lui permettent de trouver progressivement une véritable capacité à être en relation avec ses enfants, fière d'être leur mère. La dépression s'éloigne de plus en plus, malgré les conflits qu'elle rencontre encore à son travail et qui la font parfois « replonger dans le vide ».

Souvent, nous croyons que nous souffrirons tout le temps des mêmes malaises, des mêmes malheurs et des mêmes abandons. Alors nous nous crispons en nous cramponnant aux moyens que nous avons pu trouver pour les éviter ou les fuir. Nous nous figeons sur des idées toutes faites. Nos croyances compensatrices sont erronées. En reconnaissant nos blessures d'abandon, nous pouvons chercher à les soigner et lâcher nos conceptions faussées sur l'existence et les dépendances qui en découlent.

---

1. Voir deuxième partie, p. 65.

12

Sortir de l'impasse des dépendances

« La vérité sur notre enfance est emmagasinée dans notre corps, et même si nous pouvons la réprimer, nous ne pouvons pas l'altérer. [...] Un jour le corps présentera la note, parce qu'il est aussi incorruptible que l'enfant, avec un esprit encore unifié, qui n'acceptera ni compromis ni excuses, et il ne cessera de nous tourmenter jusqu'à ce que nous cessions d'échapper à la vérité. »

Alice Miller, *Notre corps ne ment jamais*

Renoncer à combler ses frustrations par un objet-leurre

Au-delà de la satisfaction des besoins physiques (boire, manger, dormir) nécessaires à la survie de l'enfant, celui-ci attend que ses demandes d'évolution, d'autonomie, de connaissance, de tendresse et d'amour soient prises en compte par l'entourage familial. Le rôle des parents est de valider par une *parole vraie* la légitimité de ses demandes et de ses questionnements. Dans les familles où les satisfactions physiques – le « pulsionnel » – sont privilégiées, de telles demandes ne peuvent être entendues. Les pseudo-réponses compensatoires opèrent dans le registre *physique* ; elles sont déplacées sur des objets de « remplissage » (argent, cadeau, drogue, nourriture, sexe, etc., autant d'addictions que nous avons décrites dans la première partie de ce livre) qui font office de leurres. L'enfant se sent temporairement et illusoirement « comblé ». Devenu adulte, il reste enfermé dans ce type de « circuit fermé » : la demande initiale est légitime (par exemple, l'amour ou la parole), mais non reconnue comme telle ; sa « réponse », l'objet-leurre, est faussée.

Par automatisme, la personne va opérer une substitution entre l'humanité de sa demande et la mécanique de ce qui lui a été proposé en réponse. Les désirs d'autonomie, d'amour, de connaissance sont peu à peu occultés par la personne elle-même. Elle se trouve aliénée, à la recherche incessante d'un apaisement artificiel par le biais de l'objet-leurre, car la vraie demande, elle, ne reçoit ni validation ni réponse.

Rinaldo a repoussé longtemps l'inévitable confrontation avec la douleur de la perte et de l'abandon par sa mère durant sa petite enfance. À quarante-huit ans, il s'échappe avidement dans des distractions nombreuses, liées à la consommation de vêtements et de loisirs de luxe. Pourtant, sa vie affective est un « champ de mines » qu'il voudrait bien commencer à « déminer »...

« Cette femme dont je vous ai parlé, je crois que je lui ai trop fait comprendre qu'elle me plaisait. *(Silence.)* La semaine dernière, vous m'avez dit que je me précipitais pour éviter de sentir le vide. Mon grand vide. Oui, c'est bien cela ! Je suis vide. Je me sens divisé. Très loin de cette unification que je souhaite ! *(Silence.)* J'ai besoin d'être le préféré, le plus beau, l'élu. *(Il soupire.)*

— ...

— *(Silence.)* La vie m'offre un beau cadeau et je ne suis pas à la hauteur.

— ...

— Elle m'a dit que je suis un séducteur ! *(Il soupire.)* J'ai besoin de plaire à tout prix, pour pouvoir m'accrocher à quelqu'un.

— *Votre mère n'était pas là pour vous.*

— Non. Je cours après ma mère. Je sais bien que ça ne sert à rien, mais je recommence ; puis j'ai envie de mourir chaque fois que cela ne fonctionne pas... Avec elle, j'ai l'impression d'être superficiel. Je suis superficiel, oui. Je fais le beau, je parade. *(Silence.)* C'est tout nouveau tout beau. J'ai vite fait de supposer que je suis irrésistible, que je l'ai conquise. Puis, lorsque je me retrouve seul, tout retombe.

— *Vous sortez à peine d'une désillusion sentimentale...*

— *(Soupirs.)* Je n'arrive pas à prendre le temps. Je suis perpétuellement dans une fuite en avant. *(Silence.)* Je refuse d'être seul. Je passe d'une femme à l'autre pour remplir ma solitude... Il y a tellement longtemps que j'évite cette rencontre avec le désespoir. »

Comment émerger de cette frustration obsédante et des dépendances qui avaient pour but de la masquer ? La démarche de *sevrage* consiste à s'y confronter pour renoncer à la *jouissance* apportée par l'objet substantiel, qui leurre. Elle exige de reprendre contact – comme commence à le faire Rinaldo – avec la douleur enfantine, due autant à la surdité de l'entourage qu'au défaut de parole ; donc de vivre la rencontre réelle avec le manque.

Accepter la séparation

Quelles que soient les défenses mises en place contre la réalité, l'impression ou l'angoisse d'abandon, ces « protections », plus ou moins efficaces alors, inutiles depuis, fonctionnent toutes comme des automatismes de dépendance, même si elles ne sont pas directement des addictions. Pour se libérer de ces automatismes, il est nécessaire de les repérer et d'aller chercher quelles anciennes demandes et surtout quels besoins fondamentaux ils recouvrent.

Les dégagements de telles dépendances peuvent être intérieurs (se débarrasser d'une fausse conception ou d'un dysfonctionnement) autant qu'extérieurs (mettre fin à une attitude néfaste, à un comportement addictif ou à une relation de parasitage). Le processus de libération constitue donc un *sevrage*, au sens propre et fort de ce terme. La perte qui en découle entraîne un manque qui paraît souvent insupportable. La dynamique de dégagement est longue avant d'aboutir à une véritable séparation.

Notre capacité de détachement prend appui sur l'aptitude que nous avons eue à nous séparer de nos parents nourriciers, depuis les premiers sevrages. Comment le petit humain accède-t-il à cette aptitude ? Nous avons vu dans la deuxième partie l'exemple du « jeu de la bobine » (voir p. 74). Serge Tisseron apporte un autre éclairage à partir de Tintin et de son chien Milou[1].

« Tintin, séparé de Milou, se représente la tristesse de Milou séparé de lui : une élaboration psychique passe ainsi par la possibilité pour

---

1. Serge Tisseron, *Tintin chez le psychanalyste*, Aubier, 1985.

l'un de s'imaginer la douleur de l'absent consécutive à la sépa-ration[1]. » La capacité à se représenter la douleur de la séparation se développe grâce à la création, en soi, d'une image de l'autre attristé lui aussi par la séparation. Cette aptitude se trouve d'autant plus confirmée et renforcée qu'elle est partagée et reconnue par des tiers, d'où la fonction de support de l'entourage.

Ainsi, l'enfant « est simplement triste d'être séparé provisoirement de sa mère, à condition de porter la représentation psychique inconsciente d'une mère attristée de leur séparation à tous deux et portant elle-même la représentation de son bébé et de la tristesse de ce dernier[2] ». Si l'enfant sait au fond de lui que sa mère absente, ou son père absent, pense à lui, il supporte beaucoup mieux l'éloi-gnement de son parent et ne se sent pas abandonné. Il l'attend sereinement et imagine avec joie son retour.

À l'inverse, « si cette double empreinte d'une mère manquante de son bébé manquant d'elle n'est pas pleinement acquise, le circuit antidépressif primordial n'est pas assuré[3] ». Autrement dit, lorsque cette représentation complexe n'a pas trouvé sa place chez l'enfant, la séparation semble « insupportable » ou « impossible » à vivre. Le sujet l'évite et la refuse. Pour ce faire, il va soit la nier en tant que telle et faire comme si elle n'avait pas lieu, soit trouver des compen-sations immédiates à son manque en se cramponnant à des choses ou à des personnes.

---

1. Claude Nachin, *Le Deuil d'amour*, L'Harmattan, 1998.
2. *Ibid.*
3. *Ibid.*

En outre, lorsque la mère est envahie par des soucis « sentis mais inconnus du bébé », celui-ci peut « imaginer sa mère manquant de lui, mais il ne peut imaginer place en elle pour la marque de son chagrin à lui[1] ».

L'enfant abandonné ne connaît pas cette « double représentation » qui le protégerait. Une phase cruciale de la thérapie consiste à favoriser l'apprentissage de la capacité à vivre la séparation par l'expérience du deuil et de la solitude. Très concrètement, par exemple, cela passera par des phases où le patient apprendra peu à peu à attendre le jour et l'heure de sa séance, sans plus nécessairement « envahir » son thérapeute de messages ou d'appels téléphoniques pour s'assurer que celui-ci pense à lui ou ne l'a pas oublié. Par ailleurs, le patient acceptera mieux aussi d'être seul et s'accrochera moins à son travail, à sa famille, à telle idée, à tel collègue ou ami…

Casser le cercle infernal

Lorsque l'enfant est aimé, il peut intérioriser le regard aimant de la personne qui le tient en estime, puis porter peu à peu ce regard bienveillant sur lui-même. En revanche, pour celles et ceux qui ont vécu une des nombreuses formes d'abandon, sans paroles, qui a laissé en elles et en eux des marques profondes, il est nécessaire de *déjouer les malédictions*.

---

1. *Ibid.*

> Lorsque la jeune Montserrat est tombée amoureuse d'un jeune homme, sa mère lui a lancé : « Tu n'es qu'une pute ! » Aujourd'hui, Montserrat repère comment elle a pu s'avilir et se laisser dégrader par des « machos menteurs et sans intérêt ». « C'était inscrit dans ma chair », dit-elle en sanglotant.

Ces malédictions sont de toutes sortes. Elles reposent sur des imprécations que l'enfant a entendues sur son compte, des « assignations d'identité » : « Tu es trop ceci, pas assez cela », « Tu es nul », « Tu n'es bon à rien », « Tu ne vaux rien », « Tu rates tout ce que tu fais », « Tu es une pute », « Tu es fou…/caractériel…/bête… », « Tu n'y arriveras jamais », etc.

> Renée choisit de ne plus tenir le rôle de la « folle » que sa famille lui avait fait jouer. « J'ai fait un rêve cette nuit. Ma mère essayait de me faire passer pour une folle… Ma rage bouillonnante s'adressait à ma mère. J'enrageais, mais je ne m'angoissais pas, pour une fois. J'ai continué à dormir et à rêver. » Même dans la vie éveillée, Renée réussit maintenant à ne plus se sentir en danger d'être « rejetée » ou de « disparaître », y compris lorsqu'elle est en désaccord avec ses proches.

La première étape est de considérer qu'une autre façon de penser, de regarder la vie et de s'estimer est envisageable, non seulement parce qu'elle existe, mais aussi parce qu'elle est permise. Il s'agit d'aller *à contre-courant*, délibérément, à l'inverse des rengaines si souvent entendues : « Non, ce n'est pas fait pour moi », « Je ne le mérite pas », « Je n'en suis pas capable », « Je n'y ai pas droit », « Dans ma famille, ça se passe comme ça ». Autant de malédictions à débusquer pour repérer comment elles enferment dans un « destin » imaginaire, dont il est vital de se libérer.

> Philippe se souvient de ce qu'il appelle aujourd'hui sa « malédiction » : « J'avais la sensation que ma peau était arrachée[1]. Je me mettais très vite dans une grande colère pour éviter d'être touché. » Maintenant, Philippe apprend à « prendre du champ » pour se retrouver, revenir à lui-même. « Dès que je me sens submergé, je me retire pour éviter que la rage ne se transforme en haine. » Depuis peu, Philippe a compris l'importance d'être à l'écoute de ce qu'il ressent. « J'essaye de me laisser guider par mes sensations. Sans lutter… »

Changer de rôle et de scénario

Ce passage n'est pas facile à opérer, car *l'enfant abandonné cherche à se donner une raison justifiant son abandon.* Il se dit que s'il a été délaissé ou rejeté c'est qu'il le méritait, qu'il était mal-aimable, indigne d'attention et d'intérêt, méchant, sans qualités… Soit il a honte de cette indignité, soit il se sent coupable d'une « mauvaise action », imaginaire ou réelle : une légère maladresse ou une petite bêtise, déformées, passent pour des fautes « méritant » d'être punies d'abandon.

Il s'agit donc, très concrètement, de *désenclencher les automatismes de dévalorisation de soi.* Commence une recherche méticuleuse de toutes les formulations caractéristiques de la malédiction : ces idées sans fondement par lesquelles le dénigrement, extérieur hier, est devenu intérieur, de soi à soi. Une attention au quotidien devient

---

1. *Cf.* Didier Anzieu, *Le Moi-peau*, Dunod, 1995.

nécessaire pour débusquer les méchancetés prononcées envers soi-même, les condamnations sans appel lancées à sa propre adresse. Il est possible de les suspendre, et bientôt de les remplacer par des éléments de la réalité qui expriment ses propres qualités, réussites ou espérances.

Pour que cette mutation aboutisse, il est fondamental de choisir de *quitter définitivement le rôle de victime,* avec son corollaire de plaintes et de revendications incessantes.

Lorsque Cristina se jette sur la nourriture, elle tente non seulement de « remplir » et supporter le vide, mais aussi de se détruire pour « punir ses parents », comme une forme de « suicide déguisé ». En réalité, Cristina ne cherche pas tant à se détruire elle-même qu'à détruire la « chaîne » qui l'enferme dans une relation morbide avec des parents qui ne s'intéressaient à elle que lorsqu'elle était gravement malade.

Lorsqu'une personne décide de ne plus être la victime des autres ou du sort, elle change de rôle et joue *un nouveau personnage dans une nouvelle histoire.* Il n'y a plus de place pour l'attentisme sans initiative et sans responsabilité. Au contraire, l'espace devient libre en soi et autour de soi pour entreprendre, agir de façon neuve, en prenant soi-même les décisions, en devenant le chef d'orchestre de son existence…

Véronique ne veut plus, tout le temps, « prendre la tangente » et « reporter la faute sur les autres ». Elle regarde plus facilement en elle-même. « Depuis notre dernière séance, j'ai un horrible sentiment d'abandon, je ne sais pourquoi... J'angoisse... Je n'ai pas arrêté de manger. » Cette question de la nourriture l'amène à me parler de sa relation avec sa mère, lorsqu'elle était enfant. Véronique prend conscience qu'elle s'est mise en miroir avec sa mère : les mêmes peurs, le même silence, la même inertie. « J'ai le sentiment d'avoir voulu la protéger depuis que je suis petite. Je respectais ses silences, son inertie, de peur que ce ne soit pire. » Véronique comprend qu'elle joue aujourd'hui le même rôle auprès de son mari, comme si c'était la seule partition qu'elle pouvait interpréter. « J'ai l'impression d'avoir été obligée de rester là avec elle pour la soutenir. Maintenant, je fais pareil avec mon mari ! » De ce rôle Véronique ne veut plus. Elle décide de ne plus l'endosser et d'inventer une autre façon d'être, dans une nouvelle existence qui lui corresponde plus à elle.

Il devient alors possible de quitter « ses lunettes transformant le présent en passé[1] ». Il est plus facile de prendre du recul par rapport à l'autre et à la situation, plus évident de se retrouver soi, dans ce corps-là, plus aisé de percevoir la réalité, telle qu'elle est, dans sa globalité.

Après avoir pu exprimer la honte diffuse qu'il portait en lui sans s'en rendre compte, Marc est devenu lucide sur son addiction sexuelle : « Un jour, à vingt-deux ans, amer et désabusé, j'ai cru qu'il n'existait plus que la solution de la tromperie, de la déshumanisation, de la jouissance, de l'enfer, de mon propre enfer. Je ne prenais plus de responsabilité, je ne croyais plus en rien. » La nouvelle force consciente de Marc va lui permettre de « descendre encore plus bas » dans son exploration souterraine et non plus « dans la déchéance ».

---

1. Mary Barnes, Joseph Berke, *Mary Barnes – Un voyage à travers la folie*, Seuil, 2002.

De même, changer de scénario suppose, par exemple, de quitter le rôle d'« enfant infirmier[1] », de ne plus chercher à soigner l'autre pour attirer son attention.

> Comme beaucoup de personnes qui souffrent d'un manque d'accueil et d'une peur du regard des autres, Angelina avait tenté de soulager les souffrances de ses proches et moins proches. Elle consacrait toute son énergie à cette tâche sans fin... Ayant perçu à quel point cela l'épuisait, aujourd'hui autant qu'hier lorsqu'elle essayait d'alléger la tristesse de ses parents, Angelina se centre désormais sur elle-même. « Plutôt que de vouloir obtenir à tout prix une reconnaissance, je cherche à exister par moi-même. L'essentiel est de vivre, de penser un peu à soi et de se réaliser enfin ! »

La séparation d'avec les autres, la fin des malédictions, le changement délibéré de rôle créent cet « espace de subjectivation[2] » qui permet de devenir authentiquement soi-même, de *s'individuer*.

> Par sa clairvoyance patiemment acquise, Maria se libère du faisceau de clichés et de stéréotypes auxquels elle a complaisamment adhéré. Elle déconstruit patiemment le code langagier et gestuel que sa famille lui avait fait adopter ses quarante premières années. Elle a pu déceler qu'effectivement elle s'était posée en victime du sort, et que cette « posture » de soumission, de souffre-douleur, de martyre ne l'avait pas aidée à aller mieux, à vivre mieux. Elle était restée jusqu'alors victime d'elle-même, des événements et des autres.

---

1. Voir la section éponyme de la deuxième partie, p. 101.
2. Il n'y a plus de prison en soi : le for intérieur devient un espace disponible pour constituer son identité.

Il est alors non seulement possible mais aussi enthousiasmant de *penser hors des coutumes et des accoutumances.* Il devient jubilatoire et fécond de se dégager d'une discipline, d'une idéologie ou d'une institution. Humain, de plus en plus humain, à la fois unique et s'inscrivant dans une vision globale, cosmique, universelle.

S'enraciner en soi-même

13

« L'unique critère dont je dispose, c'est moi-même… Je souhaite maintenant prêter l'oreille la plus attentive au murmure de ma source intérieure au lieu de me laisser égarer par les propos de mon entourage. »

Etty Hillesum, *Une vie bouleversée*

Accepter d'être soi

Bien souvent, nous nous abandonnons, nous nous « laissons tomber », nous démissionnons : nous renonçons à notre désir, notre identité, notre capacité de discernement. Alors, nous sommes en colère, en rage contre nous-mêmes. Nous voudrions tellement être autres ou autrement. Meilleurs et mieux : plus grands, plus puissants, plus riches selon les critères extérieurs des uns ; plus éclairés, plus sages, plus sensibles suivant la quête intérieure des autres.

Cette rage exprime notre impuissance face à une réalité que nous ne pouvons pas changer, y compris un aspect de nous-mêmes qui nous rebute, mais que nous ne réussissons pas encore à transformer.

Véronique traverse une période d'amertume. « Je constate combien je me polarise sur la maladie de mon fils. Maintenant, je me rends compte que cette fixation est de l'ordre du pouvoir que je voudrais avoir sur les autres. Ce n'est pas tant la maladie de mon fils qui importe, c'est mon besoin à moi, mon besoin impérieux de commander, ma volonté de tout contrôler. Je suis tellement gênée de dire cela... Je voudrais imposer à mon mari ce que je veux pour notre enfant parce que je crois que cela me permettrait d'obtenir ce que je veux pour moi... J'ai l'impression de tenter l'impossible et de m'épuiser. Je voudrais forcer mon mari à changer, pour éviter de changer, moi. Ce serait plus facile, mais ça ne marche pas ! »

En effet, nous ne pouvons pas changer notre histoire, pas plus que nos parents, nos frères, nos sœurs, les drames d'abandon qui nous ont blessés et les égarements dont nous avons souffert et qui ont blessé nos proches. Tous ces aspects de notre existence ne peuvent pas être effacés. En revanche, nous pouvons *changer notre regard* sur chacun d'eux et choisir de transformer notre façon de considérer et d'apprécier nos qualités personnelles.

Délaissée par son compagnon, Chiara se croit sans valeur : « C'est vraiment dur aujourd'hui. Laurent ne me répond pas depuis trois jours. Ce "nous deux" qui n'existe plus ! Il me manque tellement et en même temps je sais qu'il ne reviendra pas. Je me sens petite, nulle, incapable, triste, pas aimable... »

Chiara retourne à la conception d'elle-même héritée de ses parents et de ses années d'enfance. Elle ne se croit pas aimable parce qu'elle n'a pas été aimée. Elle a attendu « la grande réparation » de la part d'un compagnon idéal qui l'aurait « comblée » et aimée incondi-tionnellement. Là, derrière sa colère, reste le fantasme que c'est l'autre qui la fait exister. Cet « autre » n'est alors qu'une prothèse, une béquille, un antidépresseur. Comme beaucoup, Chiara n'arrive pas à concevoir que, dans la réalité, chacun ne peut exister que par soi-même...

Pour me créer, il est nécessaire de m'engager dans un cheminement vers l'éveil. Ce processus vital d'« ouverture » et d'« élargissement » de soi correspond à l'intériorisation de ce que je vis. Néanmoins, la capacité d'*introjection*[1] peut être entravée par certains empêche-ments : le non-dit, le secret, la *crypte*, les *fantômes*[2] au sein d'une rela-tion ou dans la généalogie, les blessures d'abandon non guéries, les deuils non réalisés et certaines productions de l'imaginaire (les « fantasmes », ces leurres qui faussent notre discernement).

> Angelina se libère peu à peu de la honte silencieuse contenue secrètement en elle. Elle réussit à surmonter les deux obstacles majeurs qui l'empê-chaient de se sentir en confiance dans un groupe, sous le regard des autres :
>
> • Angelina parvient mieux à maintenir son élan, à rester dans le mouve-ment de sa pensée à elle et à affirmer sa parole personnelle ;

---

1. L'introjection est un processus de nomination et de compréhension de la réalité vécue. Cette forme d'intelligence de la situation se développe en parlant de ses expé-riences avec une personne de confiance : parent, frère, sœur, ami, professeur... ou psychanalyste.
2. « La crypte désigne le caveau secret d'un vécu personnel. Le fantôme tient à un autre dont je porte le secret à mon insu », *in* Nicholas Rand, « Renouveaux de la psy-chanalyse », *Le Coq-Héron*, n° 159, 2000.

- elle ne se laisse plus pétrifier par son angoisse d'être rejetée, sa peur d'être bannie ou même d'être « mise à mort » !

Elle se sent moins souvent fatiguée, moins lasse. Elle commence à éprouver une fierté nouvelle...

Cette fierté nouvelle, c'est la fierté d'être soi, l'amour de soi-même, avec ce corps-là, ces qualités particulières, ces différences, cette pensée qui n'appartient qu'à soi, jusque dans ses prises de position et ses choix de vie.

Une fois libéré des conceptions figées et des jugements des personnes de référence dans notre enfance (voir « Casser le cercle infernal », p. 132), il devient possible de s'exprimer à partir de soi-même, sans faire l'impasse de sa fragilité[1].

Rinaldo avait oublié un aspect vital de l'existence, qui concerne la vulnérabilité, présente en tout être humain. La facilité de l'argent lui avait fait croire à une forme de surpuissance le mettant à l'abri de tout, et principalement de ses fragilités. En retrouvant le chemin des larmes, Rinaldo découvre peu à peu la tendresse, qu'il ne connaissait pas, puis le tact et la délicatesse, qui ne sont pas l'hypocrisie et les faux-semblants mondains, qu'il connaissait en revanche trop bien. L'homme rationnel et gestionnaire qui voulait « tout contrôler » s'ouvre ainsi à l'inconscient : au-delà de l'audible, du visible, de l'immédiat[2].

Cecilia n'a plus peur de dire sa vulnérabilité : « Je me sens découragée, j'ai l'impression de m'éloigner de ce que je commençais à atteindre. Je suis

---

1. Saverio Tomasella, *Le Surmoi, op. cit.*
2. « Le moi n'est pas maître dans sa maison » (Sigmund Freud).

effrayée par le chemin qu'il me reste à parcourir. J'ai la sensation d'être entre parenthèses. Avant, je m'étais tellement blindée et endormie que je ne sentais rien, pas la moindre petite angoisse. C'est pour ça que j'étais si dure. Malgré les angoisses, je vais mieux : je ne suis pas complètement déprimée ; simplement, maintenant je me rends compte que je suis à côté des choses de ma vie et apeurée par elles. »

Rinaldo, Cecilia, et d'autres comme eux, découvrent cette réalité : *Mon identité se constitue si j'accepte de me déterminer par moi-même, au-delà des dogmes, des discours et des modèles. J'existe vraiment si je décide de parler et d'agir en mon nom, à partir de ce que je désire, de ce que je ressens et de ce que je pense.*

Les noces avec le réel

« La grande chose que vous avez faite, c'est que vous avez pu remplacer un mensonge par du sincère et du vrai. Sinon votre victoire n'aurait été qu'un redressement moral sans portée, alors qu'elle correspond à une montée vers la vie. »

Rainer Maria Rilke, *Lettres à un jeune poète*

Certaines personnes se figent dans l'attente d'une vie idéale : bonne fée, princesse ou prince charmant, meilleure situation professionnelle, déménagement, départ pour l'étranger… ou même de vivre enfin leur véritable orientation sexuelle (nous y reviendrons au chapitre 5, « Connaître ses aspirations et les mettre en œuvre »). Cette rétention des énergies conditionne les comportements, freine les élans et fait considérer l'existence selon un schéma répétitif d'insatisfactions et de revendications récurrentes.

> Un amour enfantin peut renaître... Tel était l'espoir auquel Chiara s'était accrochée pendant des années, pour accepter de s'en détacher désormais... « Je ne sais pas ce que lui et moi avons réellement partagé, quelle est la réalité qui se cache dans notre enfance, mais je crois que je ne dois rien attendre de lui pour le découvrir. Je dois plutôt me reconnecter avec cette enfant de six ans et tenter de la comprendre un peu mieux. »

Beaucoup confondent existence avec reconnaissance et partent en quête d'une confirmation impossible de leur identité. L'identité vient de soi : elle ne peut être définie par les autres.

> Jennifer découvre que « renier sa douleur » d'enfant abandonnée l'a « empêchée de se confronter à son histoire », à sa réalité. « Je ne voulais pas voir ma détresse, je ne voulais pas laisser de place à mon chagrin. J'ai préféré tout occulter, mais aujourd'hui mon mal-être me saute à la figure. » Jennifer regrette d'avoir « perdu tout ce temps à rester sur le côté sans m'engager vraiment dans la vie ». Sans cesse disqualifiée par ses parents, comme Véronique ou William, Jennifer ne se sentait plus exister. « Maintenant, je sais que moins je comprenais ce qui m'arrivait, moins je pouvais exister par moi-même. J'attendais que les autres me disent *qui* j'étais. »

Chaque individu met un temps plus ou moins long à s'engager du côté du réel, quels qu'en soient les risques et les désagréments. Un tel *engagement* consiste à se confronter à la réalité, malgré l'inconfort qu'une telle confrontation peut provoquer. Il devient possible de se remettre souplement en question et d'apprendre, en assimilant de nouvelles informations, de nouvelles façons de vivre.

S'il existait une définition de la santé, ce serait celle-ci : « Utiliser l'action pour atteindre des buts précis et être de plus en plus définissables comme les personnes spécifiques que nous sommes. » La santé découle en effet d'une présence personnelle concrète, définissable, tangible. Elle implique d'exister vraiment, au grand jour, en agissant, parlant, pensant de façon spécifique et en étant « à un endroit précis, à un moment précis, avec une personne précise, en train de faire une chose précise[1] ».

Devenir soi-même est un long processus, qui va à la fois vers plus de sincérité et plus de globalité. Il s'appuie sur une recherche spécifique qui consiste à *nommer la réalité de ses expériences.*

L'exigence de vérité

Comme beaucoup de philosophes et d'écrivains, Sigmund Freud pose l'*exigence de vérité* comme fondement éthique de la psychanalyse, et plus largement de toute existence humaine libre. Sándor Ferenczi souligne la nécessité d'accueillir la réalité pour la faire sienne. Il nomme ce processus « élargissement du moi » ou « introjection » (voir la définition de ce terme, note 1, p. 141). Nicolas Abraham et Maria Torok ont continué à œuvrer dans ce sens pour faciliter l'accès de leurs patients à un « degré supérieur de vérité »...

> Après de longs moments de découragement, Sandrine jubile : « Je suis contente de mieux connaître mon histoire. Je me défais chaque jour un peu plus de mes chaînes. J'accède à ma liberté d'individu, de femme... J'arrive

---

1. Ronald D. Laing, *Le Moi divisé, op. cit.*

de mieux en mieux à m'octroyer des petits moments de bonheur qui n'appartiennent qu'à moi. Ce sont des moments de découverte d'un aspect de ma personnalité, de nœuds qui se défont, d'illumination… C'est fabuleux de se dire que l'on accède à un degré supérieur de connaissance de soi…. Je pense que, dans la lumière tamisée de ma chambre, en étant dans une disponibilité d'écoute intérieure, je ressens un frémissement de bonheur ! »

S'approcher peu à peu de la réalité requiert d'*employer des mots de plus en plus concrets et précis*. En se dégageant des mots des autres, des mots usés et des mots tout faits des figures d'autorité, chacun trouve les paroles appropriées qui correspondent exactement à l'expérience vécue. Une fois que l'on est libéré des jugements qui collaient à la peau de l'être, il n'est plus indispensable de chercher les appuis chez les autres. Il devient naturel de « s'appuyer » et « se centrer » sur soi. L'horizon s'ouvre et l'intelligence se déploie. La puissance intellectuelle se libère. L'être s'épanouit dans la clarté…

Les enfants, les adolescents, les adultes que j'écoute saisissent un jour la puissance de la vérité. Ils accueillent cette force du mot juste, de la parole vraie, avec la joie qui accompagne toute découverte vivifiante.

S'ouvrir au subtil

14

L'accès au sensible

L'ouverture à la dimension subtile favorise la perception délicate de la réalité, au-delà des apparences premières. Freud la reconnaît comme une « qualité très fine et nuancée de l'âme[1] » et lui offre un espace immense pour déployer ses ailes : l'*inconscient*. Pour Françoise Dolto, le subtil est un « lien de cœur à cœur », ce lien d'alliance qui unit le patient à son psychanalyste et favorise les recherches communes. Le subtil est au-delà du substantiel, qu'il complète, dans un élan qui favorise l'intelligence, la « symbolisation » : la mise en pensée à partir du corps. La réalité subtile est présente à chaque instant. Il est possible de se rendre disponible pour la percevoir et la *connaître* (naître à elle). Plus la personne est à l'écoute de ses intuitions, plus elle leur accorde de valeur, plus elle peut entrer en contact avec le subtil,

---

1. Sigmund Freud, « Le moi et le ça » (1922-1923), *Essais de psychanalyse, op. cit.*

le percevoir sous forme de sensations, le transformer en visions, en images intérieures et l'exprimer.

Ainsi, Véronique affirme très justement : « Une mauvaise image fige la pensée. » Au contraire, une vision claire libère la pensée et son foisonnement. Le cabinet du psychanalyste est ce lieu privilégié où les images intérieures peuvent jaillir puis se préciser, pour que la pensée soit libre, fondée et en mouvement[1]...

Chiara apprend à développer sa capacité à percevoir et à exprimer ce qui est du registre subtil dans son existence.

« Depuis la dernière séance où nous avons évoqué ce grand trou noir, je n'ai plus pu, pour la première fois peut-être, éluder cette tristesse immense qui monte en moi parfois comme un hurlement silencieux qui, petit à petit, me sape. Je ne veux plus, comme avant, me jeter dans les larmes et en ressortir anesthésiée d'avoir tant pleuré, sonnée, trop souffrante pour même reconnaître le nom et l'apparence de ce qui est si terrible, cette tristesse, cette solitude si inacceptable qu'elle est comme un gouffre dans lequel je me noie. Aujourd'hui, je peux la regarder. J'avance dans le souvenir de ma perception de mon enfance. Reviennent surtout des images de moi enfant, dans cet état de détresse et de tristesse, seule avec son lourd secret. »

Quelque temps plus tard, cette ouverture se confirme et porte ses fruits.

---

1. Ce que rend possible l'« association libre », première « règle fondamentale » d'une psychanalyse : tout dire, sans se censurer, tout exprimer sans retenue, même (surtout) le plus étrange, le plus inattendu, le plus surprenant...

« En rentrant chez moi mardi dernier, j'ai peint à l'encre un petit dessin qui m'a étonnée. Enfin, oui et non... Je voulais peindre un monstre, le mien, à l'encre avec différentes couleurs, mais je me suis dessinée moi-même, fuyante dans la nuit infinie sous un soleil jaune, enveloppée d'un contour blanc ! Alors j'ai compris ce que nous avions dit en séance. Je le sentais en moi-même comme un gouffre noir et j'étais tout au bord. Depuis le début, j'étais au bord et je ne le voyais pas, je n'avais pas vraiment conscience de ce gouffre si proche de moi, du danger de sombrer qui me menaçait à chaque pas. »

Chiara utilise des métaphores qui mettent en images les ressentis de ses vécus d'abandon, lorsqu'elle était petite fille. Parler avec finesse, avec justesse demande de désencombrer nos perceptions de toutes les formes de superstition, de généralisation et de trivialité, qui empêchent la « connaissance intime ». Les mouvements de symbolisation (l'intelligence de la situation) sont subtils : il ne s'agit pas de manipuler des symboles ou des idées préfabriquées, mais de créer sa propre pensée.

Chiara poursuit ses découvertes. « J'aime la vie, ce chemin que je trace parmi tant de gens que j'aime et que j'estime, en sachant pourquoi. J'aime ramasser de minuscules tessons de verre dépoli et me dire que je vais en faire un vitrail, même minuscule. »

Elle en vient à raconter un rêve de guérison qu'elle a fait récemment. « Dans le bus, je me suis endormie. Je rêvais. Je me retrouvais dans une atmosphère très lumineuse, très claire. J'ai regardé autour de moi pour essayer de distinguer plus nettement où je me trouvais. À un moment j'ai eu la sensation d'une voûte au-dessus de moi. Je ne pouvais voir d'où provenait la lumière, elle était très diffuse, mais j'ai très nettement pensé : je suis dans une chapelle. L'atmosphère était de plus en plus tranquille. J'ai alors basculé dans un sommeil profond. À mon réveil, une heure plus tard, le rêve était présent très concrètement à mon esprit. Je ressens également la même énergie, la même sensation d'avoir grandi et de m'être, en me rapprochant de moi-même, émancipée de quelque chose. »

Les rêves ou les métaphores qui expriment la guérison parlent de « trouver la lumière en soi », de « retrouver l'élan et s'élever », pour enfin « ouvrir et déployer ses ailes ». La guérison, lorsqu'elle survient[1], découle d'une recherche de la *vérité* (allégorie de la lumière) et de la *liberté* (allégorie des ailes).

À présent, Chiara souhaite ne plus éluder ce qu'elle a perçu et compris, pour ne plus être le « fantôme d'une histoire brumeuse, sans force et sans vérité ».

« Vivre avec la conscience de cela maintenant, ou plutôt apprendre à vivre avec cela est une expérience difficile, douloureuse. Quelque chose de nouveau s'est inscrit qui permet à mon identité de mieux se constituer. »

L'adulte qui retourne vers ses blessures d'abandon retrouve l'innocence bafouée de son enfance perdue, les mots tout simples de l'enfant, exprimant la réalité telle qu'elle est, sans connotation ni jugement.

© Groupe Eyrolles

---

1. « La guérison ne vient que de surcroît », comme Jacques Lacan aimait à le rappeler.

Retrouver sa créativité enfantine

Une fois que l'on a accepté de sortir des mécanismes de dépendance pour s'enraciner en soi-même, avec l'accueil du vide fondamental, il devient aussi possible de lutter contre les déperditions d'imagination, de retrouver la créativité enfantine qui a permis de survivre aux cataclysmes.

> Marc a appris très tôt à parler à son nounours. « Je me créais une vie, des atmosphères où j'étais seul, pour ne plus penser à ma douleur d'avoir pour père cet homme tyrannique, présent physiquement, mais complètement absent du monde qui l'entourait. »

Bien sûr, il ne s'agit pas de se trouver des compensations, notamment physiques ou sexuelles, en créant des « faux besoins », mais de créer pour soi les conditions d'un ressourcement véritable : activités culturelles ou artistiques, promenades, sorties amicales, écoute attentive des autres, parole libre et spontanée, expression centrée sur ses perceptions…

Ainsi ce souvenir d'un enfant, un jour de printemps. Il ne mange pas à midi. Dans l'après-midi, il se promène avec son père. L'adulte lui demande : « Tu as faim, peut-être ? » L'enfant lui répond : « Non. Je me nourris de la vie ! » Un peu plus tard, dans leur promenade, ils vont voir un chemin bordé de part et d'autre par des cognassiers, qui forment une voûte naturelle. L'enfant dit à son père : « Tiens, regarde, c'est une chapelle verte… »

L'enfant a un accès spontané, intuitif, au subtil : le langage poétique lui est naturel. Ce sont les adultes indifférents ou irrespectueux qui le lui font perdre, en voulant le « normaliser » selon des critères extérieurs et abstraits. Cela advient inévitablement dès que le projet d'éducation est remplacé par un programme de « dressage », comme dans certains systèmes de scolarité, par exemple.

Au contraire, il est fondamental de respecter l'enfant, sa sensibilité naturelle, sa finesse de perceptions et ses merveilleuses intuitions. L'adulte bienveillant est là pour encourager l'enfant à aller vers lui-même, sa liberté et son désir. Lors d'une thérapie, ce processus est au cœur de la guérison : retrouver ses ressources enfantines, leur faire confiance, s'aimer enfin vraiment, exister avec joie et fierté… et s'exprimer dans l'originalité flamboyante de son unicité.

Connaître ses aspirations et les mettre en œuvre

« Mon corps et mon âme réunis. La plus grande partie de ce que je n'avais accepté que de l'extérieur prenait maintenant un sens que je saisissais de l'intérieur. »

Mary Barnes, Joseph Berke,
Mary Barnes – Un voyage à travers la folie

Accomplir un basculement

Le mot « route » vient du latin *rupta*, qui signifie « rupture ». Rompre avec les automatismes du passé est nécessaire pour se frayer une nouvelle voie. Dire « je suis », avec sincérité, en inventant sa parole au présent, requiert une rupture avec les anciens discours creux du « moi », cet amas de défenses, d'illusions et de croyances. Il ne s'agit pas de forcer cette mutation, bien entendu, mais simplement de la favoriser ou de la permettre, lorsque le moment est venu.

153

Sandrine a longtemps caché sa préférence pour les femmes. Cette question l'envahit. Elle sait qu'elle a choisi de peu s'impliquer avec son mari pour pouvoir rester dans ses « rêveries » et remettre son choix à plus tard. « Pour mon mari, je ne suis qu'une chose. Il avait besoin d'une femme. Je me suis laissé faire... Lorsque les amis de mon mari sont là, je me sens mal. Je ne suis pas bien avec eux. Je n'arrive pas vraiment à leur parler. J'ai peur qu'ils voient mon homosexualité. » Sandrine s'est mise à cette place de chose, en refusant d'être elle-même, en ne s'affirmant pas telle qu'elle est. Son « mariage raté » n'a fait qu'entériner cette situation. Elle se sent dépressive à longueur d'années. Sandrine reconnaît qu'elle s'abandonne elle-même : pour l'instant, elle n'a pas le courage de déterrer son secret et de vivre au grand jour la vérité de son être.

Le refus de son orientation sexuelle réelle provoque, encore de nos jours, de véritables dépressions qui mènent parfois au suicide. Les exemples foisonnent, comme celui de Christophe, ce prêtre, longtemps et profondément déprimé, qui a mis des années à accepter, puis à faire accepter son homosexualité, pour finir par changer de métier. Christophe ne souhaitait plus « abandonner son désir ». Il voulait « retrouver sa liberté », détaché de toute institution de référence. Christophe a choisi de « vivre sa vraie vie ».

Cependant, si beaucoup de personnes comprennent intellectuellement ce que pourrait leur apporter une transformation, elles ne font rien pour qu'elle advienne. Voici les vraies questions : « Vais-je exister ou non ? », « Veux-je vraiment exister ? » Il est nécessaire de se les poser sans détour et d'y répondre sans se leurrer soi-même. La réponse est souvent étonnante : non ! La plupart du temps, curieusement, à ce stade, encore beaucoup de personnes ne sont pas prêtes à vivre leur existence singulière. Pourquoi ? Parce que cela demande de réels efforts, de vrais essors, une pugnacité bien loin des habituelles complaisances. La « servitude volontaire » est puissamment ancrée dans les attitudes intérieures orientées vers le « plus-de-jouir » et les comportements extérieurs d'obéissance servile, en mimétisme avec le consensus social du moment. Sortir du troupeau ? Oui, c'est difficile !

Véronique arrive à la croisée des chemins.

« J'ai l'impression que tout le monde voudrait que je disparaisse. Je suis bien triste de mon statut...

— *Vous vous vivez comme une statue ?*

— Je suis un zombie. Une statue ? Je ne bouge pas, ni dans un sens ni dans un autre. Elle tombe bien, votre question ! À quoi bon essayer de changer ? Non pas que je ne veuille pas, mais cela semble immuable. Vous ne pouvez imaginer ma tristesse, le feu dans le ventre. En plus, je gâche tout, l'adolescence des enfants, mon mari, tout ça pour un caprice de vie. Je suis lasse.

— *Vous tombez dans votre propre piège : vous vous persuadez que rien ne peut changer, que la vie est hors de portée.* »

Bien sûr, Véronique, comme tout être humain, peut se transformer et évoluer. Pour l'instant, elle préfère rester engluée dans une grisaille immobile où elle subit le quotidien, « sans broncher ». Son bénéfice ? Elle peut se plaindre ! Pourtant, le désir de vivre commence à poindre, comme souvent, sous la forme d'une angoisse indomptable.

« Pourquoi ces vents de panique, cette envie de mourir et de disparaître ? C'est redoutable, ça ne m'a pas quittée pendant plus d'une heure. En plus, dans ces moments-là, je n'arrive plus à penser, les larmes viennent à peine aux yeux, rien ne peut changer cette idée de mort. Dans ces moments-là, tout est réduit à néant. Disparaître semble le meilleur moyen. Après la crise de panique, j'ai l'impression d'être en état de somnolence, je n'ai pas envie de parler : comme une somnambule peut-être. »

Enfermée dans ce qu'elle appelle à tort sa « dépression », qui est en fait sa propre *inertie*, Véronique ne supporte plus rien, tout la fatigue. Elle croit que tout est bloqué en elle, autour d'elle. Elle refuse d'exister : « Je ne supporte plus de vivre. » Ainsi, pendant un temps, Philippe gémissait sur son « rituel du week-end » : « Je bois le vendredi, je bois le samedi, je bois le dimanche. » Pareillement, William finissait par se détester lorsqu'il se « vautrait dans son canapé » et fuyait devant la télévision : « Je ne veux plus me rouler dans la misère. Cela ne peut plus durer comme ça. Je me complais là-dedans, je reste chez moi et je ne fais rien. » Premiers sursauts : la reconnaissance du malaise est une étape nécessaire. Elle sert parfois de déclencheur.

Passé les tempêtes, Montserrat se réveille. « Je me sens comme un combattant, un chevalier lourd de son armure et qui veut combattre contre des forces de destruction terribles, la vie ou la mort, le bien ou le mal. Un combat de la mythologie. Je veux dire par là qu'il s'agit d'un combat où je suis seule à combattre et dont l'enjeu est essentiel, comme la vie ou le bien ou le sens de mon existence, quelque chose comme cela. En réalité, je me sens prisonnière, de ma mère, de ma famille, des hommes aussi. C'est pour cela que mon armure est lourde. J'en ai marre. Je n'en veux plus. Je me sens encombrée, entravée, je ne vois pas de coin de ciel bleu. J'espère en voir bientôt. »

Cette inertie, Freud l'a nommée « pulsion de mort[1] ». Elle provoque et maintient l'immobilisme, la répétition des drames et des blessures. Pourquoi le maladif, le morbide et le non-vivant sont-ils si attirants, si fascinants ?

Marc avance quelques pistes : « Je repense au totalitarisme de mon père, je crois qu'il fantasmait sur la perfection de ce fils. C'est peut-être pourquoi je m'en veux inlassablement ou que je trouve toujours que ce que je fais n'est pas bien... »

Le train-train pousse peu à peu à perdre son imagination, son inventivité et son élan vital. De même, se vouloir irréprochable pose une contrainte qui bride l'inventivité, donc le changement. La peur de l'échec fige la capacité d'initiative. Cette peur découle de la pression exercée par l'exigence de perfection, y compris quand elle se saisit de la « volonté de changer ».

En acceptant de ne plus fuir la chair sensible et vivante, lui qui a été dans le déferlement continu du sexe pour le sexe pendant tant d'années, Marc entre dans l'épaisseur du présent. *C'est dans le réel que nous nous incarnons.* Il découvre qu'il peut « entrer dans le réel de la

---

1. Sigmund Freud, « Au-delà du principe de plaisir » (1920), *Essais de psychanalyse, op. cit.*

situation », en oubliant les automatismes du passé, et sans anticiper l'avenir.

> « Je perçois une destruction de la vie en moi, comme si mon père avait voulu éteindre ce qui était vivant. Devenu adulte, j'ai pris le relais. Aujourd'hui, c'est *moi* et moi seul qui détruis la vie en moi. »

Cette grande conscience vive, rapide dans l'instant, cette fulgurance de la pensée juste est à l'opposé des moments de sidération, de torpeur, d'anesthésie, d'angoisse ou même des crises d'épilepsie, qui étaient des signaux des reviviscences traumatiques, des remontées imprévues de la mémoire d'abandon.

En arrêtant de « chercher la faute » chez les autres, en répondant de ses choix d'hier et d'aujourd'hui, Marc trouve sa place, séparée, donc libre : hors de la fusion, du mélange, des ligatures à ce qui est mortifère en l'autre.

> « C'est dommage, c'est idiot, tout ça. Il y a une chose que j'ai vraiment du mal à comprendre, c'est pourquoi on va vers le mauvais. Je crois que jamais mon père ne m'a regardé avec dans les yeux l'éclat de la bonté et de l'amour. Si je remonte la généalogie, sa mère était sévère et dure, son père, faible, son beau-père, rigide. Personne dans ma famille ne sait ce qu'est l'amour, personne. »

La reconnaissance ne peut venir que de soi-même. Marc, Sandrine et tant d'autres choisissent également de mettre un terme à la « dépréciation automatique ». Ils ne profèrent plus de contre-vérités du type : « J'ai l'impression que c'est inhérent à ma nature. »

L'inertie et la répétition font croire à la fatalité, dans une infernale « préférence pour la mort[1] ». Il n'est point besoin de sacrifices !

Sortir de l'ouate des illusions – y compris celles de la dévalorisation et du dénigrement – permet de retrouver la rugosité de la vie vraie, d'oser dire qui nous sommes et d'œuvrer là où nous sommes. *Rien ne sert d'attendre* pour vivre et s'incarner.

Choisir des relations plus vraies

Comment favoriser et permettre ce mouvement de la vie quoi qu'il arrive ?

Comment se donner les moyens de choisir la vie ? Comment oser être ?

Un passage s'ouvre vers une existence que nous avons vraiment choisie, une existence qui nous ressemble : notre métier, nos activités, nos amitiés. Une fois acquise la capacité à être seul, un jour vient aussi la possibilité de vivre l'amour.

Il devient alors judicieux de choisir des relations qui nous aident à aller dans le sens de notre évolution humaine, et de mettre un terme ou de transformer celles qui empoisonnent notre existence.

Voici quelques balises pour mieux distinguer ce qu'il en est :

• Qu'est-ce qu'une mauvaise relation ?

— Un lien qui génère du malaise, du malheur ou de la maladie.

---

1. Saverio Tomasella, *Le Surmoi, op. cit.*

- Un rapport fermé ou enfermant, figé ou mécanique, monotone ou terne.
- Lorsqu'il est possible de repérer une souffrance répétée, une
douleur de fond, une détresse récurrente, une tristesse durable.
- Un rapport qui exclut artificiellement le conflit ou, au contraire,
qui ne fonctionne que par le conflit.
- Bien sûr, au pire : abus, dépendance et emprise sont les signes
d'une absence de vraie relation ou d'un lien toxique.

Sans en arriver là, il est possible de se demander si le rythme de
l'autre est compatible avec son propre rythme. Est-ce que je pré-
serve l'essentiel ? Est-ce que je me respecte ? Suis-je dans mon
désir et dans mon mouvement ?

• Comment repérer ce qui ne va pas ?

Il s'agit de s'exercer au discernement. Discerner, c'est faire le tri
entre ce qui est ajusté et ce qui est faussé. Comment ? En
s'appuyant sur ses ressentis (sensations, émotions, sentiments) et
non sur ses croyances ou ses préjugés. Qu'est-ce que je sens, que
je perçois – concrètement – dans cette relation ?

Il est utile d'essayer de mettre chaque relation en perspective :

- dans son histoire. Est-ce que cette relation ressemble à une
autre ? Est-ce que je répète les mêmes comportements ? Est-ce
que je me fourvoie de nouveau comme par le passé ? Comment
étais-je avant cette relation ? Comment suis-je depuis ?
- par rapport aux autres relations. Chercher des repères, des
points de comparaison. S'il existe des constantes, elles sont à
interroger et à comprendre, car elles viennent de moi, de ce
que je mets, par automatisme, dans chacune de mes relations.

- Comment s'en sortir ?
  - Accepter de vivre, même longtemps, sa propre solitude. Apprendre à se connaître et à faire face à la réalité. Qui suis-je ? Où en suis-je ? Qu'est-ce que je veux ?
  - Essayer de ne pas juger, de ne pas généraliser et catégoriser.
  - Sortir de la dualité bien contre mal, tout blanc contre tout noir. Accueillir la complexité et se recentrer : revenir à soi, à ses perceptions. Qu'est-ce qui m'arrive à moi, là ? Qu'est-ce que je ressens ? Qu'est-ce que j'attends ? Qu'est-ce que je souhaite vraiment vivre ou ne pas vivre ?
  - Être clair, ferme, honnête. Se déterminer, choisir vraiment :
    - dire de vrais « oui » ou de vrais « non » ;
    - affirmer ce que l'on veut ou ne veut pas ;
    - se « décoller », se séparer (créer de la distance, un espace) ;
    - se développer soi-même (ne plus s'en remettre à l'autre, mais se reposer sur soi pour se déterminer).

Lorsque la relation est tendue, il s'agit souvent d'une incompréhension mutuelle. Il est plus approprié d'*interroger le rapport au monde de l'autre*, plutôt que de le condamner ou d'interpréter ses comportements en termes de rejet, laissant entendre que l'abandon risque de se répéter encore. Chacun étant plus ou moins « bien » selon les périodes de son existence, il peut aussi être nécessaire d'accueillir les moments d'effondrement de l'un ou de l'autre, de les partager dans le lien.

Enfin, il est important de se percevoir soi-même, sinon le recours à l'image sociale et aux stéréotypes empêchera la compréhension saine de la situation par l'un et l'autre.

Pendant plus de cinquante ans, Annick a été prisonnière de son apparence et de ses préjugés. Elle reconnaît aujourd'hui qu'elle a choisi un mari comme ses parents, uniquement focalisés sur la réussite sociale, au détriment de l'épanouissement de la personne, écrasant toute expression originale. Annick a besoin de « hurler sa colère et sa rage ». Après avoir approfondi sa recherche sur les abandons qu'elle a vécus enfant et ceux, plus radicaux encore, qui parsèment sa généalogie, Annick fait un grand bilan sur son existence et ses relations : elle souhaite vraiment « guérir », y compris des troubles physiques qui « empoisonnent » encore son quotidien.

- Jusqu'à présent, Annick allait sans cesse chercher des avis à droite et à gauche, risquant de donner raison au dernier qui a parlé. Elle ne parvenait pas à se constituer elle-même, de l'intérieur, à partir de ses sensations et de ses expériences de vie.

- Durant toutes ses premières années de recherche avec son psychanalyste, Annick n'a pas osé parler de sa sexualité. Elle se protégeait, n'osait pas, voulait rester dans du « joli », du côté des beaux discours et des déclarations d'intention, sans prendre de risques.

- La découverte pénible de « fantasmes de viol et de prostitution » va aider Annick à « lâcher prise » et à faire un « bond en avant » dans sa mutation en profondeur. En exposant son corps de femme au regard complice des hommes en recherche de sexe, la façon qu'avait Annick de s'habiller et de se positionner face aux hommes (être vue, jolie, désirable, irrésistible) *se retournait contre elle*. Annick se sentait « agressée », peu respectée et ne supportait plus le regard des autres, la foule, etc.

Allant à son propre rythme pour explorer son inconscient, la validation progressive de ses hypothèses a permis à Annick d'avancer de façon déterminante vers sa liberté intérieure… et de changer le cours de son existence.

Beaucoup de personnes ayant vécu un abandon veulent guérir des troubles qui en découlent. Qu'est-ce que guérir ? Comment guérir ?

Guérir de ses blessures d'enfant

Le verbe « guérir » est issu du latin *curare*, « soigner », et du vieux français *guarir,* qui signifie « protéger » et « préserver ». Le dictionnaire Larousse propose « se rétablir, se remettre, être debout » ; « retrouver ses forces physiques et morales ». Le Robert précise « se délivrer d'un mal », « se débarrasser, se libérer », et encore « se désintoxiquer ». La guérison a pour synonymes l'amélioration, l'apaisement, la cicatrisation, le rétablissement, mais aussi la résurrection.

Ces définitions sont intéressantes : elles situent ce qu'est la guérison, loin des assertions d'une époque qui pourrait faire présumer que le « bonheur » ou le « salut » viendraient de la science et de la technique, donc – par exemple – uniquement des médicaments ! Non, *la guérison vient de soi.* Suite aux drames d'abandon, il est question de se rétablir, de se remettre debout, en marche ; de soigner ses blessures pour les aider à cicatriser ; de retrouver ses forces intérieures, sa confiance dans la vie et les possibilités de l'existence. Lorsque des dépendances ont été mises en place pour parer aux profondes dépressions, aux hontes sournoisement installées, aux terribles angoisses d'abandon et de disparition, il est nécessaire de se désintoxiquer ! Dans tous les cas, de *renaître…*

Effectivement, beaucoup de patientes et de patients parlent de « renaissance », lorsque la longue et pénible descente en soi a permis de soigner les plaies, même les plus vives, même les plus intimes, mêmes les plus anciennes.

163

La guérison ne tombe pas du ciel ; elle n'est pas servie sur un plateau. Elle ne s'attend pas : elle se vit ! Elle demande courage et pugnacité. Aucun médicament miracle n'existe contre l'abandon. Guérir est un choix ; ce verbe désigne une décision, une action qu'il appartient à chacun de nous de mettre en œuvre.

Qui n'a pas vécu, un jour ou l'autre, la morsure de l'abandon ? Elle surgit sans prévenir comme la preste vipère. Qui n'a pas cru en mourir, transi de froid par son furtif venin ? Qui n'en éprouve pas, parfois, la sourde angoisse ?

« Guérir » de l'abandon signifie *naître à soi-même*, libre de toute forme de dépendance, capable de voir la réalité dans sa globalité et d'en désigner la vérité.

Cette renaissance facilite une existence singulière suivant un axe qui peut devenir une devise : « Je désire, je pense, je suis. » C'est-à-dire être capable de vivre ses élans désirants, d'élaborer une pensée personnelle et de s'exprimer par une parole libre, qui précède et explicite ses choix d'action ou d'engagement.

L'enthousiasme et la joie jaillissent de nouveau. Les retrouvailles avec l'enfant intérieur permettent d'accéder à sa fantaisie et d'en goûter les frémissements. Il est possible de soutenir ses potentialités créatives et poétiques autant que sa capacité à aimer.

Libéré de son poids de revendications, Philippe souhaite s'exprimer tel qu'il est : « Je vais oser dire vraiment ce qui est joyeux et passionnant pour moi. » Montserrat désire ardemment « devenir un être de lumière » : « Je vois tellement de lumière sortir de l'ombre, qu'il doit faire bon s'y reposer. » La sensibilité subtile se déroule comme un ruban infini, de toutes les couleurs, avec ses nuances, sa mobilité, ses miroitements, ses changements de tonalité. Oser être différent, unique, et oser le dire. Laisser œuvrer le génie de la vie.

Après des années de recherche, Maria s'est considérablement transformée. Elle choisit de clore sa psychanalyse. Quelques jours après nos adieux, elle m'envoie un petit mot : « Maintenant je vais penser seule. Devenir maître de cette pensée. M'affranchir de votre soutien. De votre écho. Toute séparation mérite que l'on se retourne sur elle. Par gratitude. Par simple amour. Lorsque l'attachement est tombé, il n'y a plus à craindre de se transformer en statue de sel. Merci ! »

Guérir, bien sûr, dans le sens de se relever, de se remettre en marche et surtout de renaître, et trouver ainsi son axe intérieur, son « alignement ». Cet alignement humain est vivant. Il se déroule selon la longue séquence suivante :

vivre → éprouver → sentir → percevoir → discerner → penser → parler → agir (et pouvoir en répondre).

Cultiver la vie avec générosité…

« Laisser agir les forces profondes », affirme le peintre et sculpteur Alain Boullet.

La persévérance dans les traversées consiste à continuer à aimer la vie, malgré les abandons, les conflits, les désaccords, les douleurs, les détresses, les incompréhensions, les malentendus. De façon sous-jacente, la relation suit son cours grâce au souvenir du lien[1], et même au-delà de la mort physique pour les personnes qui nous ont définitivement quittés[2]. Cette mémoire pour soi et pour l'autre est une manifestation de l'alliance entre deux personnes qui se font mutuellement confiance.

Une mère de plusieurs enfants, jeunes et moins jeunes, affirme : « L'existence est souvent difficile, elle peut même parfois ressembler à une lutte perpétuelle, mais le plus important est d'aimer la vie, de l'aimer envers et contre tout. » Entre l'existence et la vie, une confusion existe. *La vie est une énergie créatrice*, une force évolutive, un mouvement fondamental, elle est présente en tout être humain. En revanche, l'existence est spécifique à chaque personne. *L'existence est singulière*. Elle se caractérise par une multiplicité unique d'éléments combinés : histoire personnelle et familiale, dans tel contexte culturel, économique et social, au sein de telle époque et de tel pays, à partir de tel ou tel modèle d'éducation, choix de métier et de tel type de vie affective. L'existence est plus ou moins aisée ou ardue en fonction des aléas qui la jalonnent : amour ou désamour, échecs ou réussites, maladies, décès ou accidents, fortune ou infortune… aussi n'est-il pas adéquat de dire que « la vie est rude ». Une existence peut être particulièrement éprouvante, la vie reste la vie dans son mouvement qui nous dépasse.

---

1. De nombreux films mettent en scène cette dimension de la relation. Parmi eux, par exemple, *Marius et Jeannette*, de Robert Guédiguian, France, 1997 ; *Blue Gate Crossing*, de Yee Chin-yen, Taïwan, 2003 ; *Va, vis et deviens*, de Radu Mihaileanu, France, 2005.
2. Lytta Basset, *Ce lien qui ne meurt jamais*, op. cit.

Continuer à aimer la vie, malgré les doutes, les épreuves et les obstacles, est une attitude à inciter et à soutenir chez un enfant. D'abord en l'encourageant… Il s'agit d'apprendre *de* l'enfant. Plutôt que de pointer ses défauts et de lui en faire grief, le mieux est de mettre en lumière ses spécificités, ses qualités personnelles, sa créativité. La disponibilité bienveillante envers l'enfant est une préférence délibérée pour ce qui constitue la vie en lui et la façon dont elle se manifeste à travers son originalité. Ainsi, l'enfant apprend à être auteur et acteur de son existence.

Constituer son identité demande beaucoup de patience à l'enfant. Il a besoin d'être dans la présence vivante, réelle et continue d'une personne :

- attentive et bienveillante ;
- différenciée et acceptant la confrontation ;
- discrète et respectueuse de l'autre ;
- sincère et exprimant librement ses sentiments.

L'adulte bienfaisant laisse grandir l'enfant, à sa façon et suivant son propre rythme.

Autrefois en détresse, Cristina, focalisée sur ses « malheurs », n'arrivait pas vraiment à parler avec ses enfants. Elle reconnaît qu'elle leur faisait « beaucoup de reproches pour pas grand-chose » et ne les encourageait pas. Aujourd'hui apaisée, elle est capable de complimenter naturellement ses enfants pour les services qu'ils lui rendent, ainsi que pour leurs petites ou grandes réussites. Les compliments et les encouragements du parent à ses enfants entraînent des bienfaits visibles. « Mes enfants vont mieux. Je les sens légers. Le contact est plus facile entre nous. » Alors qu'elle le vivait comme un poids, Cristina devient heureuse d'être mère.

Quelque temps plus tard, elle remarque que ses enfants se confient plus à elle. Étonnée de cette nouveauté, un soir, elle leur demande ce qui a changé. Ils lui affirment qu'elle se confie plus à eux, qu'elle leur parle plus. Surtout, ils ont réussi à se confier à elle parce qu'elle les écoute vraiment, parce qu'ils ont senti en elle « un silence qui parle ». Ainsi, ils comprennent que *la qualité de l'écoute engendre la qualité de la parole*. Joyeuse de me raconter cet échange, Cristina ponctue avec un enthousiasme nouveau pour elle : « La vie est belle ! »

« La seule perfection, c'est la joie », affirmait Spinoza. Être vivant, c'est être dans la joie : nous le voyons autour de nous et cela nous motive à le devenir. Plus besoin de cette apparente facilité qui nous faisait chercher des « recettes », particulièrement contre le sentiment d'abandon : il n'y en a pas ; seuls existent les cheminements plus ou moins tortueux que nous empruntons. Ils sont tous différents.

Après de nombreux voyages en Inde, pays qu'il apprécie particulièrement, et des séjours dans des ashram, Gérard est revenu différent en France, plus simple et plus spontané. Il écrit : « J'espère que nous allons inventer, trouver le temps de parler de cela. Ce matin j'ai médité sur *paraspara devo bhava*, ce qui, traduit du sanskrit, veut dire : "Je vois Dieu en chacun." L'expérience avance, parfois se bloque sur un proche dominateur ou un autre tyran, même intérieur, si facile à convoquer, mais il semblerait que de petits progrès parviennent à trouver quelque place encore discrète dans mon univers intérieur qui dépend de la subtilité et surtout de la capacité de discrimination que je peux ou non mettre en place. »

L'éthique de la vie est un petit chemin intérieur lumineux et discret. Elle permet de développer son intelligence singulière à partir d'une écoute vive et fine. Les rencontres présentent un nouveau visage : elles sont vivifiantes, de sensibilité à sensibilité. Nous sentons la présence du souffle, qui est le véhicule de la lumière et de la vie. Il circule facilement de l'un à l'autre.

Cet accès au merveilleux du « vivant » est loin de toute forme de « magie » : plus de mystifications quelles qu'elles soient, mais uniquement des expériences sensibles, vécues dans une clairvoyance grandissante…

Bon voyage !

Respecter l'enfance, écouter l'enfant

« Tout commence et ne cesse de commencer dans cette joie. Tout ce qui pourra venir ensuite – dans les épreuves et les douleurs – ne peut pas rayer ou faire oublier cette aurore. »

Maurice Bellet, *Incipit.*

L'enfant abandonné est un être à vif. Il s'affole facilement. Il vit souvent dans l'urgence et la précipitation. Ses débordements émotionnels expriment ses désarrois d'autrefois. Ils disent sa rage d'enfant face au désespoir de constater durablement que l'autre est absent et refuse de s'engager dans la relation, ou qu'il est sourd et aveugle à ce qui le fait souffrir.

Lorsque le parent s'absente trop longtemps, sans raison et sans explication, l'enfant ne se sent plus vivre dans la réalité : son identité se délite, sa présence à soi-même s'efface. Il perd ses « contours » et sa « capacité d'enveloppement » : angoissé, l'enfant cherche à pallier sa disparition. Lorsque la panique ne le pousse pas à gesticuler dans tous les sens ou à crier, ce sont l'envie, la méfiance et la rancune qui

171

l'envahissent à son insu. Pour se prémunir contre ce qu'il peut vivre comme des « attaques » qu'il redoute, l'enfant malmené peut devenir violent physiquement ou verbalement.

Ainsi, les défenses construites pour faire face au sentiment d'abandon peuvent constituer une forme de négation de soi ou de l'autre, de son existence. Elles opposent alors une parole codée, un mutisme glacé ou une violence systématique à la parole vivante d'autrui ou à son enthousiasme.

Aimer la vie ou « croire en la vie » n'est pas une pose pour « faire joli » ou pour afficher d'apparents « bons sentiments ». Il s'agit d'une confiance profonde dans la qualité essentielle de la vie, qui nous pousse à aller de l'avant.

Pourtant, exister ainsi ne semble pas simple... Beaucoup croient que leur existence passe par la reconnaissance et attendent une impossible confirmation de leur identité. La guérison consiste avant tout à accepter de se regarder tel qu'en soi-même et à se défaire des automatismes qui nous brident ou des idées réductrices qui nous empoisonnent et nous enferment. Notamment cette croyance ancrée que nous ne pourrions nous définir que par rapport aux autres ou à partir d'eux. Nous l'avons vu, la constitution de l'identité, être soi-même, ne peut venir des autres...

Aussi, *notre responsabilité consiste autant à nous libérer réellement des blessures d'abandon de notre passé qu'à choisir d'éviter de les répéter*, d'une façon ou d'une autre, principalement sur les enfants. Pour réussir ce pari, il est vital de choisir d'être à l'écoute des enfants et de l'enfant en soi.

Mon expérience de psychanalyste me permet d'affirmer que, lorsqu'un enfant est en souffrance (boulimie, échec scolaire, énurésie, inattention, mutisme, obstination, repli, violence, etc.), il est nécessaire d'accueillir et d'entendre ses parents. Dans la grande majorité des cas, aider un parent (ou les deux) permet de résoudre ses (leurs) défauts de relation avec l'enfant : celui-ci trouve alors comment déployer de nouveau sa créativité et son désir d'humanisation. Sa croissance reprend naturellement son cours. L'énergie vitale est disponible pour qu'il s'implique dans les apprentissages et qu'il retrouve de l'intérêt pour la vie sociale avec les enfants de son âge… Il s'agit de chercher une transformation chez les parents et les éducateurs, dans leurs attitudes, leurs comportements, leurs conceptions, leur écoute et leurs prises de parole, plutôt que d'essayer de « faire changer » l'enfant pour le conformer à telle convention sociale, à tel idéal éducatif ou à telle notion pédagogique.

Parents, grands-parents, psychologues, professeurs et « éducateurs » s'interrogent sur la meilleure façon de parler de la vie avec les enfants qui grandissent auprès d'eux et dont ils ont la charge. Les questions des enfants sont tour à tour ardues, courageuses, déstabilisantes, fulgurantes ou surprenantes. Elles sont pleines de vérité, d'une vérité qui éveille ou réveille les adultes, trop encombrés de certitudes sur l'existence, un peu à la façon des « grandes personnes » du *Petit Prince* de Saint-Exupéry.

Nous croyons savoir et, trop souvent, nous imposons nos vues pour ne pas être dérangés dans notre confort, nos habitudes et nos routines. Pourtant, par essence, l'enfant « pose question » : il vient battre en brèche nos murailles personnelles ou sociales. Alors s'ouvre, pour nous adultes, une possibilité de nous mettre en mouvement pour apprendre d'eux… Dans la culture hindoue, l'enfant est considéré comme le « gourou » des parents, leur guide, la personne qui les instruit sur les mystères de la vie. Cette place privilégiée de l'enfance, qui n'empêche pas le respect des adultes et la vénération des anciens, donne à réfléchir. Elle rejoint la conception de pédagogues telles Maria Montessori ou Germaine Tortel par exemple[1], ou des psychanalystes pour enfants[2]. Apprendre de l'enfant et apprendre avec l'enfant, plutôt que de lui inculquer tel concept, telle notion, tel précepte.

Les peurs et les souffrances gouvernent profondément nos existences. Nous, adultes, préférons souvent gronder, forcer ou convaincre un enfant pour faire taire en nous ce qui nous dérange ou nous effraie le plus, à commencer par nos angoisses d'abandon… À n'en pas douter, quel que soit l'angle sous lequel nous considérons la relation de l'adulte à l'enfant, nous découvrons que c'est à l'adulte de mettre en œuvre bienveillance, écoute, patience et sollicitude. L'adulte est responsable du « travail intérieur » qui lui incombe pour mieux accueillir l'enfant face à lui, pour mieux l'entendre, mieux lui parler et mieux le respecter, donc pour mieux l'aider à grandir !

Ces transformations intimes que nous accomplissons, chacun à sa façon, pour devenir plus humains, requièrent de la patience, du repos, du silence, mais aussi beaucoup de confiance et d'intelligence. En

---

1. Maria Montessori, *L'Enfant*, Desclée de Brouwer, 1936.
2. Jean Bergès, notamment…

gardant à l'esprit que la vie est mouvement, autant que la pensée et l'amour, nous arrivons à dépasser les crises et les situations conflictuelles. Nous connaissons cette puissance de la vie en nous. Grâce à elle, en chaque circonstance, nous pouvons imaginer le réel, métaphoriser nos expériences et penser les réalités de notre existence, jusqu'au grand passage qu'est la mort.

Bibliographie

ABRAHAM Nicolas,

    Jonas et le cas Jonas, Aubier, 1999.

    Avec Maria Torok, *Le Verbier de l'homme aux loups*, Aubier-Flammarion, 1976 ; *L'Écorce et le Noyau*, Flammarion, 1987.

ANTHONIOZ DE GAULLE Geneviève,

    La Traversée de la nuit, Seuil, 1998.

ANZIEU Didier,

    Le Moi-peau, Dunod, 1995.

BADIOU Alain,

    L'Éthique – Essai sur la conscience du mal, Nous, 2003.

BALBO Gabriel, BERGÈS Jean,

    L'Enfant et la psychanalyse, Masson, (1994) 1996.

    Jeu des places de la mère et de l'enfant – Essai sur le transitivisme, Érès, 1998.

BALINT Michael,

    Le Défaut fondamental, Payot, 2003.

BARNES Mary, BERKE Joseph,
  Mary Barnes – Un voyage à travers la folie, Seuil, 1973 (2002).

BASSET Lytta,
  Ce lien qui ne meurt jamais, Albin Michel, 2007.

BERGER Véronique,
  Les Dépendances affectives – Aimer et être soi, Eyrolles, 2007.

DE-NUR Yehiel,
  Les Visions d'un rescapé, Hachette, 1990.

DOLTO Françoise,
  Tout est langage, Gallimard, 1994.

FÉDIDA Pierre,
  Des bienfaits de la dépression – Éloge de la psychothérapie, Odile Jacob, 2001.

FERENCZI Sándor,
  Confusion de langue entre les adultes et l'enfant, Payot, 2004.

FOUCAULT Michel,
  Maladie mentale et psychologie, PUF, 1954.

FREUD Sigmund,
  Inhibition, symptôme, angoisse, PUF, 1965.
  Psychopathologie de la vie quotidienne, Payot, 1967.
  Métapsychologie, Gallimard, 1968.
  Essais de psychanalyse, Payot, 1981.

La Question de l'analyse profane, Gallimard, 1985.
Le Malaise dans la culture, PUF, 1995.
Le Président Schreber, PUF, 1995.
L'Avenir d'une illusion, PUF, 1997.
De la technique psychanalytique, PUF, 1997.
Abrégé de psychanalyse, PUF, 1998.

GREEN André,
L'Intrapsychique et l'intersubjectif en psychanalyse, Lanctôt, 1998.

KRISTEVA Julia,
Contre la dépression nationale, Textuel, 1998.

LAING Ronald D.,
Le Moi divisé, Stock, 1970.

LEVINAS Emmanuel,
Éthique et infini, Fayard, 1982.
De l'évasion, Fata Morgana, 1982.

MARZANO Michela,
Le Fascisme, un encombrant retour ?, Larousse, 2009.

MÉLÈSE Lucien,
La Psychanalyse au risque de l'épilepsie, Érès, 2000.

MIJOLLA-MELLOR Sophie de,
Le Besoin de savoir, Dunod, 2002.
Penser la psychose, une lecture de l'œuvre de Piera Aulagnier, Dunod, 1998.
Le Plaisir de pensée, PUF, 1992.

MILLER Alice,
> *Notre corps ne ment jamais*, Flammarion, 2004.

MONTESSORI Maria,
> *L'Enfant*, Desclée de Brouwer, 1936.

NACHIN Claude,
> *Les Fantômes de l'âme*, L'Harmattan, 1993.
> *Le Deuil d'amour*, L'Harmattan, 1998.
> *À l'aide, y a un secret dans le placard !*, Fleurus, 1999.

PASCHE Francis,
> *Le Sens de la psychanalyse*, PUF, 1988.
> *Le Passé recomposé*, PUF, 1999.

PRUDHOMME Marie-France,
> « De l'inconsolé à l'inconsolable », *Le renouveau de la psychanalyse avec Nicolas Abraham et Maria Torok*, Nice, AEMANT, 16 mai 2009.

RAND Nicholas,
> « Renouveaux de la psychanalyse », *Le Coq-Héron*, n° 159, 2000.

RÉFABERT Philippe,
> *De Freud à Kafka*, Calmann-Lévy, 2001.

SEARLES Harold,
> *L'Effort pour rendre l'autre fou*, Gallimard, 1977.
> *Mon expérience des états limites*, Gallimard, 1994.

SUPINO-VITERBO Valentina,
> *L'Enfant mal-aimé*, Flammarion, 1999.

TISSERON Serge,

> *Tintin chez le psychanalyste*, Aubier, 1985.
> *La Honte – Psychanalyse d'un lien social*, Dunod, 1992.
> *Secrets de famille, mode d'emploi*, Ramsay, 1996.
> *L'Intimité surexposée*, Ramsay, 2001.
> *Virtuel, mon amour*, Albin Michel, 2008.

TOMASELLA Saverio,

> *Faire la paix avec soi-même – Développer la confiance en soi*, Eyrolles, (2004) 2016.
> *Le Surmoi*, Eyrolles, 2009.

TOROK Maria,

> *Une vie avec la psychanalyse*, Aubier, 2002.
> Avec Nicolas Abraham, *Le Verbier de l'homme aux loups*, Aubier-Flammarion, 1976 ; *L'Écorce et le Noyau*, Flammarion, 1978.
> Avec Nicholas Rand, *Questions à Freud*, Les Belles Lettres, 1995.

WINNICOTT Donald W.,

> *De la pédiatrie à la psychanalyse*, Payot, 1992.
> *La Nature humaine*, Gallimard, 1990.
> *La Crainte de l'effondrement et autres situations cliniques*, Gallimard, 2000.

Également dans la collection « Comprendre et agir » :

Brigitte Allain Dupré, *Guérir de sa mère*

Juliette Allais,

    Décrypter ses rêves

    Guérir de sa famille

    Amour et sens de nos rencontres

    Au cœur des secrets de famille

Juliette Allais, Didier Goutman, *Trouver sa place au travail*

Bénédicte Ann, *Arrêtez de vous saboter*

Dr Martin M. Antony, Dr Richard P. Swinson, *Timide ? Ne laissez plus la peur des autres vous gâcher la vie*

Laurence Arpi, *Mon corps a des choses à me dire*

Bernard Anselem, *Je rumine, tu rumines… nous ruminons*

Lisbeth von Benedek,

    La Crise du milieu de vie

    Frères et sœurs pour la vie

Éric Bénevaut, *Perverses narcissiques*

Valérie Bergère, *Moi ? Susceptible ? Jamais !*

Marcel Bernier, Marie-Hélène Simard, *La Rupture amoureuse*

Gérard Bonnet, *La Tyrannie du paraître*

Jean-Charles Bouchoux, *Les Pervers narcissiques*

France Brécard, *Se libérer des relations toxiques*

Sophie Cadalen, *Aimer sans mode d'emploi*

Christophe Carré,

    La Manipulation au quotidien, la repérer, la déjouer et en faire bon usage

    Que faire avec un enfant qui vous manipule ?

Marie-Joseph Chalvin, *L'Estime de soi*

Cécile Chavel, *Le Pouvoir d'être soi*

Claire-Lucie Cziffra, *Les Relations perverses*

Karine Danan, *S'aimer sans se disputer*

Michèle Declerck, *Le Malade malgré lui*

Flore Delapalme, *Le Sentiment de vide intérieur*

Ann Demarais, Valérie White, *C'est la première impression qui compte*

Marie-Estelle Dupont, *Découvrez vos superpouvoirs chez le psy*

Alain Durel, *Cultiver la joie*

Sandrine Dury, *Filles de nos mères, mères de nos filles*

Micki Fine, *Aime-moi comme je suis*

Jean-Michel Fourcade, *Les Personnalités limites*

Laurie Hawkes,
> *La Peur de l'autre*
> *La Force des introvertis*

Steven C. Hayes, Spencer Smith, *Penser moins pour être heureux*

Jacques Hillion, Ifan Elix, *Passer à l'action*

Mary C. Lamia, Marilyn J. Krieger, *Le Syndrome du sauveur*

Lubomir Lamy,
> *L'Amour ne doit rien au hasard*
> *Pourquoi les hommes ne comprennent rien aux femmes…*

Jean-Claude Maes,
> *L'Infidélité*
> *D'amour en esclavage*

Virginie Megglé,
> *Les Séparations douloureuses*
> *Face à l'anorexie*
> *Entre mère et fils*

Bénédicte Nadaud, Karine Zagaroli, *Surmonter ses complexes*

Ron et Pat Potter-Efron, *Que dit votre colère ?*

Patrick-Ange Raoult, *Guérir de ses blessures adolescentes*

Daniel Ravon, *Apprivoiser ses émotions*

Thierry Rousseau, *Communiquer avec un proche Alzheimer*

Alain Samson,
> *La Chance tu provoqueras*
> *Développer sa résilience*

Steven Stosny Ph. D., *Les Blessées de l'amour*

Dans la collection « Les chemins de l'inconscient », dirigée par Saverio Tomasella :

Véronique Berger, *Les Dépendances affectives*

Christine Hardy, Laurence Schifrine, Saverio Tomasella, *Habiter son corps*

Barbara Ann Hubert, Saverio Tomasella, *L'Emprise affective*

Martine Mingant, *Vivre pleinement l'instant*

Gilles Pho, Saverio Tomasella, *Vivre en relation*

Catherine Podguszer, Saverio Tomasella, *Personne n'est parfait !*

Saverio Tomasella,
> *Faire la paix avec soi-même*
> *Le Sentiment d'abandon*
> *Les Amours impossibles*
> *Hypersensibles*
> *Renaître après un traumatisme*
> *Les Relations fusionnelles*

Dans la collection « Communication consciente », dirigée par Christophe Carré :

Christophe Carré,
> *Obtenir sans punir : Les secrets de la manipulation positive avec les enfants*
> *L'Auto-manipulation : Comme ne plus faire soi-même son propre malheur*

Manuel de manipulation à l'usage des gentils

Agir pour ne plus subir : Délogez la victime qui sommeille en vous

Bienveillant avec soi-même : Pouvoir compter sur soi

Fabien Éon, *J'ai décidé de faire confiance*

Florent Fusier, *L'Art de maîtriser sa vie*

Hervé Magnin, *Face aux gens de mauvaise foi*

Emmanuel Portanéry, Nathalie Dedebant, Jean-Louis Muller, Catherine Tournier, *Transformez votre colère en énergie positive !*

Pierre Raynaud, *Arrêter de se faire des films*

Dans la collection « Histoires de divan » :

Karine Danan, *Je ne sais pas dire non*

Laurie Hawkes, *Une danse borderline*

Dans la collection « Les chemins spirituels » :

Alain Héril, *Le Sourire intérieur*

Lorne Ladner, *Pratique du bouddhisme tibétain*

Dans la collection « Moi puissance moi », dirigée par Patrick Collignon :

Patrick Collignon,

Heureux si je veux !

Enfin libre d'être moi

Merci mon stress

Xavier Van Dieren, *Réveillez vos 4 héros intérieurs*

Merci d'avoir choisi ce livre Eyrolles.
Nous espérons que votre lecture vous a plu et éclairé(e).

Nous serions ravis de rester en contact avec vous et de pouvoir vous proposer
d'autres idées de livres à découvrir, des événements avec nos auteurs,
des jeux-concours ou des lectures en avant-première.

Intéressé(e) ? Inscrivez-vous à notre lettre d'information.
Pour cela, rendez-vous à l'adresse go.eyrolles.com/newsletter ou flashez
ce QR code (votre adresse électronique sera à l'usage unique des éditions
Eyrolles pour vous envoyer les informations demandées) :

Vous êtes présent(e) sur les réseaux sociaux ?
Rejoignez-nous pour suivre d'encore plus près nos actualités :

Eyrolles Psycho et Développement personnel

@des_livres_qui_font_du_bien

@EyrollesPsycho

Merci pour votre confiance.
L'équipe Eyrolles

P.S. : chaque mois, 5 lecteurs sont tirés au sort parmi les nouveaux inscrits
à notre lettre d'information et gagnent chacun 3 livres à choisir dans le catalogue
des éditions Eyrolles. Pour participer au tirage du mois en cours, il vous suffit
de vous inscrire dès maintenant sur go.eyrolles.com/newsletter
(règlement du jeu disponible sur le site)

Composé par Sandrine Rénier

Achevé d'imprimer par Normandie Roto Impression s.a.s.
sur papier bouffant Munken Print 80g
N° d'imprimeur : 1800248
Dépôt légal : février 2018

Imprimé en France